o que o sol faz com as flores

o que o sol faz com as flores
rupi kaur

tradução
ana guadalupe

 Planeta

Copyright © Rupi Kaur, 2017
Copyright © Editora Planeta do Brasil, 2018
Todos os direitos reservados.
Título original: *The sun and her flowers*
Esta edição foi publicada originalmente nos Estados Unidos por Andrews McMeel
Publishing, uma divisão da Andrews McMeel Universal, Kansas City, Missouri.

Preparação: Bruna Beber
Revisão: Isabela Talarico e Renata Lopes Del Nero
Diagramação: Jussara Fino
Capa: departamento de criação da Editora Planeta Brasil
Ilustrações de capa e miolo: Rupi Kaur

Dados Internacionais de Catalogação na Publicação (CIP)
Angélica Ilacqua CRB-8/7057

Kaur, Rupi
  o que o sol faz com as flores / Rupi Kaur; tradução de Ana Guadalupe.
São Paulo: Planeta do Brasil, 2018.

Tradução de: *the sun and her flowers*
ISBN: 978-85-422-1233-4

1. Poesia I. Título II. Guadalupe, Ana

18-0065   CDD C811

 Ao escolher este livro, você está apoiando o
manejo responsável das florestas do mundo

2022
Todos os direitos desta edição reservados à
EDITORA PLANETA DO BRASIL LTDA.
Rua Bela Cintra, 986 – 4º andar
01415-002 – Consolação – São Paulo-SP
www.planetadelivros.com.br
faleconosco@editoraplaneta.com.br

para quem me fez
kamaljit kaur e suchet singh
eu existo. por causa de vocês.
espero que olhem para nós
e sintam
que os sacrifícios valeram a pena

para minhas incríveis irmãs e irmão
prabhdeep kaur
kirandeep kaur
saaheb singh
estamos nessa juntos

vocês são a definição de amor.

partes

murchar 11

cair 57

enraizar 117

crescer 153

florescer 195

as abelhas vieram pelo mel
as flores faziam gozação
levantando o próprio véu
para o grande dia
o sol sorria

- nascer pela segunda vez

murchar

no último dia do amor
meu coração quebrou dentro do corpo

fiquei a noite toda acordada
fazendo um feitiço para te trazer de volta

peguei o último buquê de flores
que você me deu
agora estão murchas no vaso
uma
por
uma
cortei as cabeças
e comi todas

enfiei um pano debaixo de cada porta
fora eu disse ao vento
não vou precisar de você
fechei cada cortina da casa
vá eu disse à claridade
aqui ninguém entra
aqui ninguém sai

- *cemitério*

você partiu
e eu ainda te queria
mas eu merecia alguém
que quisesse ficar

eu passo dias de cama debilitada pela perda
eu tento chorar para te trazer de volta
mas a água já ferveu
e ainda assim você não voltou
eu arranho a pele até ver sangue
perdi a noção do tempo
o sol se transforma em lua e
a lua se transforma em sol e
eu me transformo em espírito
uma dúzia de pensamentos
me atravessam num segundo
você já deve estar chegando
mas é melhor se for engano
eu estou bem
não
eu sinto ódio
sim
eu te odeio
talvez
eu não supere
eu vou
eu te perdoo
eu quero arrancar meu cabelo
de novo e de novo e de novo
até que minha cabeça exausta faça silêncio

ontem
a chuva tentou imitar a minha mão
e correu pelo seu corpo
eu rasguei o céu por ter dado permissão

- *ciúmes*

para conseguir pegar no sono
preciso imaginar seu corpo
curvado atrás do meu
concha encaixada na concha
até que eu ouça sua respiração
preciso recitar seu nome
até que você responda e
a gente comece a conversar
só assim
minha cabeça consegue
se perder na sonolência

- *fingimento*

não é o que deixamos para trás
que me destrói
é o que podíamos ter construído
se ficássemos

ainda vejo nossos capacetes de construção
no exato lugar onde os deixamos
cones que não sabem o que proteger
escavadeiras à espera da nossa volta
as tábuas tensas ainda nas caixas
em busca de uma estrutura
mas nenhum de nós volta
para contar que acabou
em pouco tempo
os tijolos cansados de esperar vão cair aos pedaços
os guindastes tristes vão curvar o pescoço
as pás vão virar ferrugem
por acaso você acha que aqui vão crescer flores
quando você e eu estivermos fora
construindo uma história nova
com outra pessoa

- *a construção do nosso futuro*

eu daria tudo por aquele primeiro segundo da manhã
quando ainda estou meio dormindo
ouço os beija-flores lá fora
flertando com as flores
ouço as flores dando risada
e as abelhas meio enciumadas
quando viro para te acordar
começa tudo de novo
o choro
o grito
o choque
de perceber
que você não está

- *as primeiras manhãs sem você*

os beija-flores me contam
que você cortou o cabelo
eu digo que nem ligo
mas continuo ouvindo
cada mínimo detalhe

- *sede*

eu invejo o vento
que ainda te vê

eu podia ser o que quisesse
nesta vida
mas eu queria ser dele

tentei fugir tantas vezes mas
assim que eu dava as costas
meu peito sucumbia ao peso
eu voltava ofegante
talvez por isso te deixasse
arrancar minha pele
qualquer coisa
era melhor que nada
deixar que me tocasse
mesmo que sem gentileza
era melhor do que não ter suas mãos
eu aguentava o abuso
eu não aguentava a ausência
eu sabia que queria vida de uma coisa morta
mas não importava
que estivesse morta
porque pelo menos
era minha

- *vício*

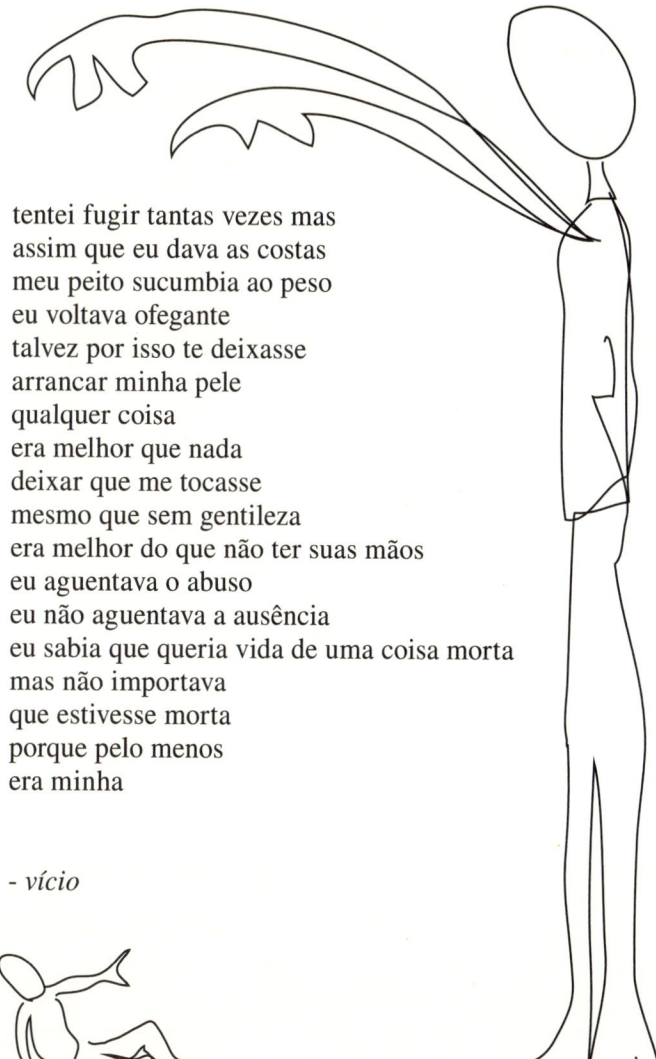

você laceia mulheres como se fossem sapatos

amar você era como respirar
mas já sentindo falta de ar
antes que chegasse aos pulmões

- *quando se vai cedo demais*

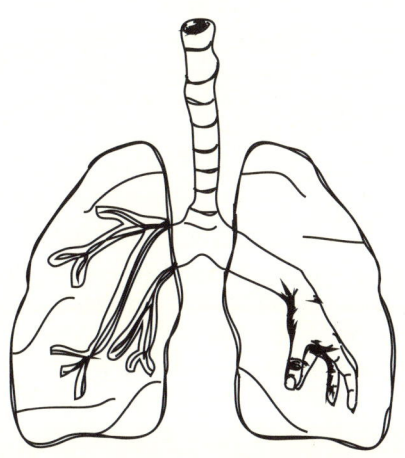

como você vê o amor

como você vê o amor a terapeuta questiona
uma semana depois do término
e eu não sei responder a essa pergunta
só sei que pensava que o amor
era muito parecido com você

foi aí que caiu a ficha
e percebi que fui tão ingênua
por vincular uma ideia tão bonita à imagem de uma pessoa
como se alguém nesse planeta
pudesse conter tudo que o amor representa
como se a emoção pela qual sete bilhões estremecem
tivesse a aparência de um cara de um e oitenta
de peso médio e pele parda
que de manhã gosta de comer pizza congelada

como você vê o amor a terapeuta pergunta de novo
dessa vez cortando meu raciocínio no meio
e a essa altura estou prestes a levantar
e sair pela porta
só que paguei caro demais por essa hora
então lanço um olhar feroz em sua direção
do jeito que você olha para uma pessoa
quando está prestes a lhe dar razão
lábios cerrados se preparando para a conversa
olhos que penetram profundamente nos outros
em busca de todos os pontos fracos

escondidos em algum lugar
cabelo que é colocado atrás da orelha
como se fosse preciso preparo físico para uma conversa
sobre as filosofias ou quem sabe as decepções
da sua visão do amor

bem eu digo
não acho mais que o amor é ele
se o amor fosse ele
ele estaria aqui não é mesmo
se ele fosse a pessoa certa
seria ele a pessoa sentada comigo agora
se o amor fosse ele seria simples
não acho mais que o amor é ele eu repito
acho que nunca foi
acho que eu só queria alguma coisa
me sentia pronta para me doar a alguma coisa
que parecesse maior que eu mesma
e quando avistei alguém
que parecia se encaixar no molde
deixei bem clara a minha intenção
de transformá-lo na minha metade

e eu me perdi para ele
ele levou tanto mas tanto
me envolveu na palavra *especial*
até eu acreditar que só tinha olhos para me ver
mãos só para me sentir
corpo só para estar ao meu lado
ah como ele me esvaziou

o que você sente em relação a isso
a terapeuta interrompe
olha eu digo
meio que me sinto um lixo

talvez todo mundo tenha entendido errado
a gente acha que deve procurar alguma coisa lá fora
uma coisa que tropeça na gente
na saída do elevador
ou cai na nossa mesa num café qualquer
aparece no fim de um corredor na livraria
sexy e inteligente na medida certa
mas acho que o amor começa *aqui*
o resto é desejo e projeção
de todas as suas vontades carências e fantasias
mas essas exterioridades nunca vão funcionar
se a gente não se voltar para dentro e aprender
a amar a si próprio para depois amar os outros

o amor não tem o rosto de alguém
amor é nossa atitude
amor é dar tudo que você pode
mesmo que seja só o maior pedaço do bolo
amor é entender
que temos o poder de machucar um ao outro
mas vamos fazer o que for possível
para que não aconteça
amor é compreender toda a gentileza que merecemos
e se alguém de repente aparecer

prometendo se doar tanto quanto você
mas seus atos começarem a te enfraquecer
em vez de elevar
amor é saber quem escolher

você não pode
entrar e sair de mim
tipo uma porta giratória
eu tenho muitos milagres
acontecendo dentro de mim
para ser sua escolha conveniente

- não sou seu hobby

você levou o sol
quando se foi

continuei comprometida
muito depois da sua partida
não conseguia erguer os olhos
para encontrar os olhos de outra pessoa
o ato de olhar parecia traição
que desculpa eu teria
quando você retornasse
perguntando por onde andaram essas mãos

- *fiel*

quando você enfiou a faca em mim
você também começou a sangrar
minha ferida virou sua ferida
será que você não sabia
o amor é uma faca de dois gumes
você vai sofrer do jeito que eu sofro

acho que meu corpo sabia que você não ia ficar

eu quero
só você
mas você quer
outra pessoa
nego aquele
que me deseja
porque eu desejo outra pessoa

- *a condição humana*

me pergunto se sou
bonita o bastante para você
e se sou bonita de modo geral
troco a roupa que vou vestir
cinco vezes antes de te ver
tentando escolher a calça jeans que vá
tornar meu corpo perfeito para ser despido
me diz
o que eu posso fazer
para te fazer pensar
ela
ela é tão incrível
que meu corpo perde o equilíbrio
escreva uma carta endereçada
a todas as inseguranças em mim
seu tom de voz me leva às lágrimas
você me dizendo que sou bonita
você me dizendo que sou o bastante

você está em todo canto
menos ao meu lado
e isso dói

mostre uma foto
quero ver o rosto da mulher
que te fez esquecer a que tinha em casa
que dia foi isso e
que desculpa você me enfiou goela abaixo
eu sempre agradecia ao universo
por trazer você para mim
será que você a penetrava bem
no segundo em que pedi aos céus
que desse tudo o que você queria
será que encontrou dentro dela
será que saiu rastejando dali
com o que não tinha encontrado em mim

o que ela tem que eu não tenho
me conta o que você mais gosta
que depois eu treino

sua ausência é um membro amputado

perguntas

tem uma lista de perguntas
que quero mas nunca vou fazer
tem uma lista de perguntas
que reviro na cabeça
sempre que fico sozinha
e meu pensamento não se segura e te procura
tem uma lista de perguntas que quero fazer
então se estiver ouvindo de algum lugar
eu vim perguntar

o que você acha que acontece
com o amor que foi deixado para trás
quando dois amantes se abandonam
quão triste você acha que fica o amor
antes de morrer
será que morre
ou ainda existe em algum lugar
esperando por nós
quando mentimos um para o outro
dizendo que era para sempre e partindo
qual dos dois sofreu mais
eu quebrei em mil pedacinhos
e os pedaços se quebraram em mais mil
esfarelei até virar pó
até não sobrar mais nada além de silêncio

amor me conta
como você sentiu o luto
como o choro virou lamento

como você fez para manter os olhos abertos
sabendo que eu não estaria mais do outro lado

deve ser difícil viver com *e se*
deve ser uma espécie de dor persistente
bem na boca do estômago
acredite
eu também sinto
como foi que acabamos aqui
como sobrevivemos a tudo isso
e como ainda estamos vivos

quantos meses demorou
para você deixar de pensar em mim
ou você ainda pensa em mim
porque se você pensa
aí talvez eu também
esteja pensando em você
pensando em mim
comigo
em mim
perto de mim
em toda parte
você e eu e nós dois

você ainda se masturba pensando em mim
você ainda pensa no meu pequeno corpo pelado
colado ao seu
ainda pensa na forma da minha coluna que
você queria arrancar de mim
porque a linha terminava na
curva perfeita da minha bunda
e você ficava louco

meu amor
meu amorzinho
meu querido
desde que nos despedimos
quantas vezes você fez de conta
que era minha mão em vez da sua
quantas vezes procurou por mim nas suas fantasias
e em vez de gozar acabou chorando
não mente
eu sei quando você mente
porque sempre tem um pouco de
arrogância na sua atitude

será que ficou bravo comigo
será que está bem
e será que do contrário me diria
e se um dia a gente se encontrar
você acha que vai me dar um abraço
como você disse que daria
da última vez que a gente se falou
e você disse que logo a gente se falaria de novo
ou você acha que a gente só se olharia
tremendo na base e ainda teimando
em absorver o máximo um do outro
porque a essa altura talvez já tenhamos
outra pessoa em casa nos esperando
a gente era um casal lindo não era
e será que é errado fazer essas perguntas
amor me diz
que você também
queria essas respostas

você liga e diz que sente a minha falta
encaro a porta da frente de casa
esperando uma batida
dias depois você liga e diz que precisa de mim
mas você não veio
no jardim cada dente-de-leão
revira os olhos de decepção
a grama decidiu que você é notícia velha
de que me importa
se você me ama
e sente minha falta
e precisa da minha presença
se não faz absolutamente nada
se eu não sou o amor da sua vida
com certeza serei a grande perda

o que a gente faz agora meu bem
quando acabou e eu fiquei no meio da gente
para que lado eu corro
se por você todo músculo do meu corpo pulsa
se só de pensar já fico com água na boca
se você me puxa para perto sem precisar fazer nada
como é que dou meia-volta e escolho a mim mesma

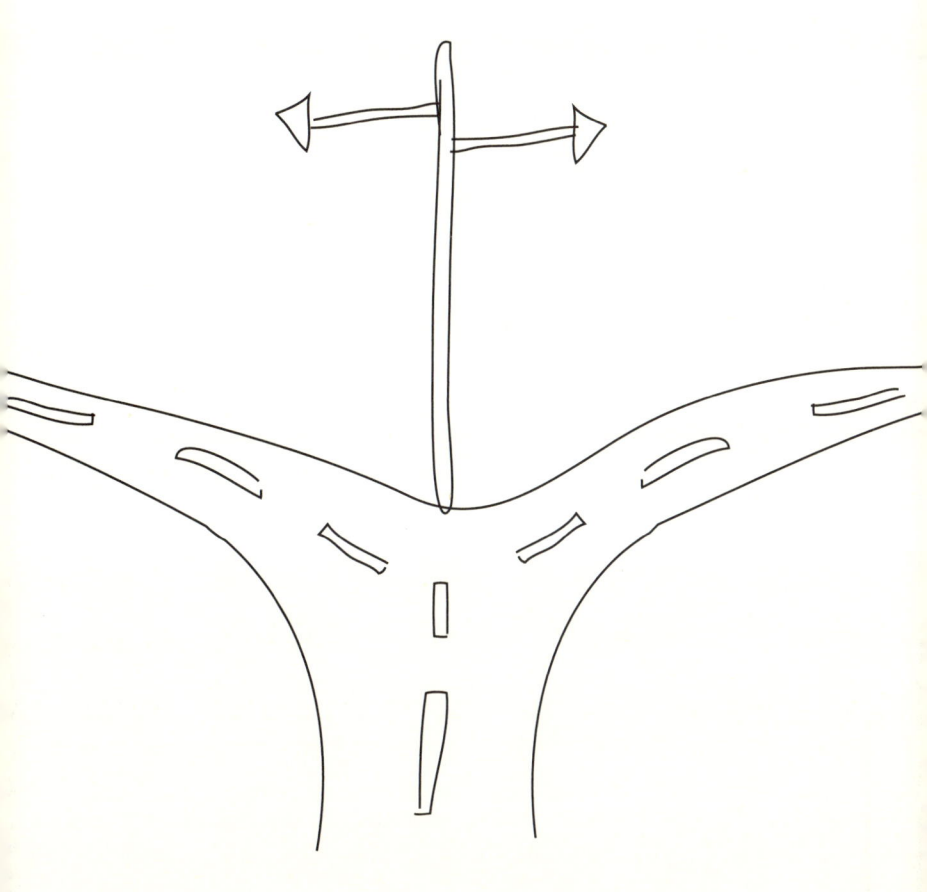

dia a dia eu percebo
que tudo em você que me dá saudade
nunca chegou a existir de verdade

- *eu me apaixonei por uma miragem*

eles vão
como se nada tivesse acontecido
eles voltam
como se nunca tivessem ido

- *fantasmas*

bem que tentei
mas não houve resposta
no final da nossa última conversa

- *desfecho*

você me pergunta
se nossa amizade continua
eu explico que a abelha
não sonha em beijar
os lábios da flor
para depois se contentar com as folhas

- não preciso de novos amigos

por que será
que só quando uma história acaba
a gente começa a sentir cada página

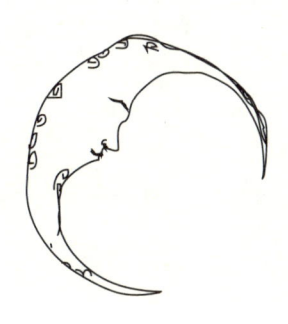

levanta
disse a lua
e nasceu um novo dia
o show tem que continuar disse o sol
a vida não para por ninguém
te puxa pelo pé
quer você queira quer não
essa é a graça
a vida exige que você esqueça a saudade
a pele se desprende até que não reste
parte alguma de você que ele tenha tocado
seus olhos finalmente são só seus olhos
não os olhos que olharam para ele
você vai chegar ao fim e além
disso que é só o começo
vai lá
abre a porta para o mundo

- *tempo*

cair

vejo tudo que não tenho
e concluo que é lindo

a última perda me brutalizou. parte da minha humanidade
foi roubada. sempre fui tão profundamente sentimental que
me desfazia por nada. mas agora o fluxo segue seu
caminho. é claro que me importo com os mais próximos. mas
acho difícil demonstrar. há uma parede na frente. eu sempre
quis ser tão forte de modo que nada seria capaz de me abalar.
agora. eu sou. tão forte. que nada me abala.
e tudo que quero é serenidade.

- *dormência*

ontem
quando saí da cama
o sol caiu no chão e rolou pela grama
as flores decapitaram a si mesmas
a única coisa viva que sobrou fui eu
e eu já não sei se isso é vida

- *depressão é uma sombra que mora em mim*

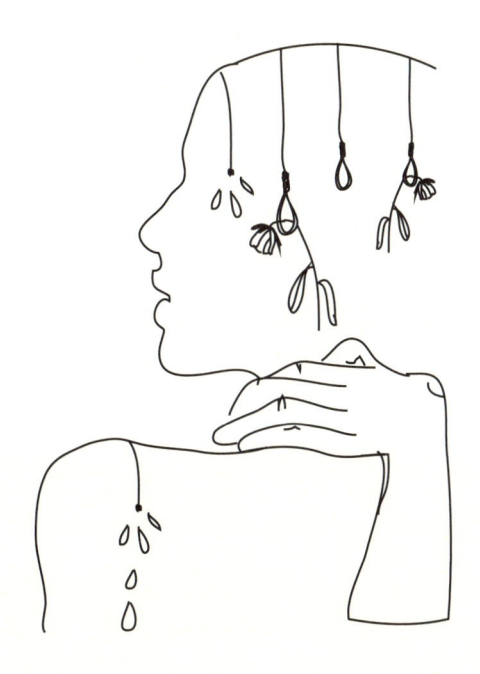

por que você me trata tão mal
meu corpo grita

porque você não é igual às outras
eu digo a ela

você está esperando alguém
que nunca vai voltar
ou seja
você está vivendo sua vida
na esperança de que alguém perceba
que não pode viver a própria vida sem você

- *não é assim que as coisas acontecem*

muitas vezes
sentimos raiva dos outros
por não terem feito
o que deveríamos fazer por nós mesmos

- *responsabilidade*

por que
você deixou uma porta
escancarada
aberta entre as minhas pernas
ficou com preguiça
perdeu a hora
ou de propósito me deixou incompleta

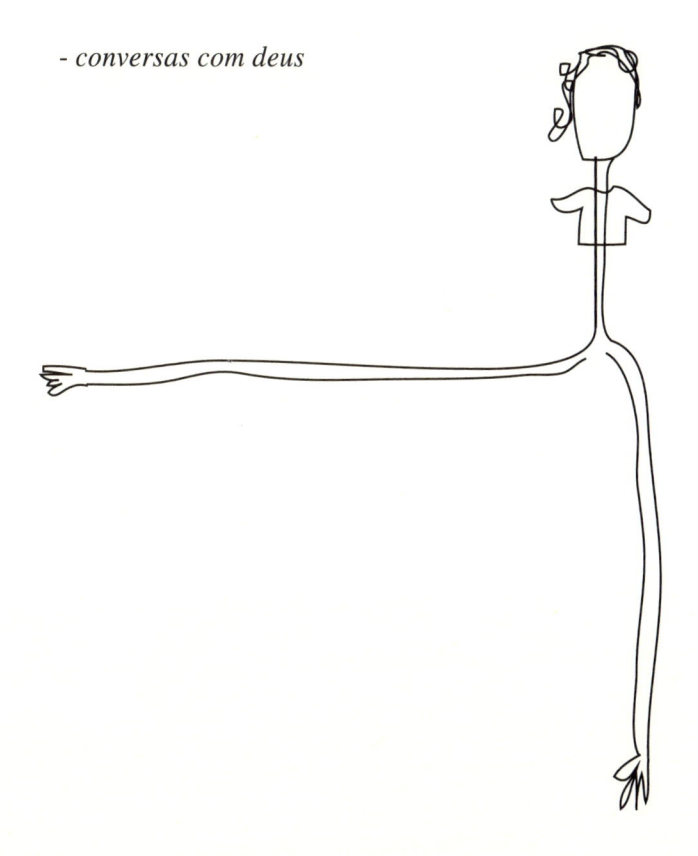

- *conversas com deus*

não me disseram que doía tanto
ninguém me avisou
das decepções causadas pelos amigos
eu pensei *cadê os discos*
nenhum cantor cantou sobre isso
não consegui encontrar as músicas
nem ler os livros dedicados a narrar a mágoa
que nos atinge quando os amigos vão embora
é um tipo de dor no peito que
não te acerta feito um tsunami
é um câncer lento
do tipo que não aparece por meses
não dá sinais visíveis
é uma dor aqui
uma enxaqueca ali
mas você aguenta
câncer ou tsunami
no fim dá na mesma
seja amor ou amigo
uma perda é uma perda é uma perda

- *a dor subestimada*

ouço mil palavras gentis a meu respeito
e não faz nenhuma diferença
mas ouço um só insulto
e toda a confiança se despedaça

- *focando no negativo*

casa

era uma quinta-feira típica pelo que me lembro
a luz do sol me deu um beijo de bom-dia nos cílios
lembro de cada detalhe
de sair da cama
fazer café com o barulho das crianças brincando lá fora
escolher uma música
encher a lava-louças
lembro de colocar um vaso de flores
no meio da mesa da cozinha
só quando o apartamento ficou imaculado
eu entrei na banheira
lavei o ontem dos cabelos
me decorei
como as paredes de casa eram decoradas
com quadros prateleiras fotografias
pendurei um colar no pescoço
enganchei os brincos
passei batom como se fosse tinta
prendi o cabelo para trás – era uma quinta-feira típica

nos encontramos numa reunião de amigos
no fim você ofereceu uma carona para casa
e eu disse *sim* porque nossos pais trabalhavam juntos
e você tinha jantado com a minha família tantas vezes

mas eu devia ter desconfiado
quando você começou a confundir

uma simples conversa com uma oferta
quando me falou para deixar o cabelo solto
quando em vez de me levar para casa
em direção ao cruzamento luminoso
de vista e vida – você deu a volta
e seguiu pela via que não dava em nada
perguntei aonde você me levava
você perguntou se fiquei assustada
minha voz se jogou do parapeito da garganta
caiu no asfalto do ventre e passou meses escondida
todas as partes de mim
apagaram a luz
fecharam a cortina
trancaram a porta
e eu me escondi lá no fundo
de um armário na minha mente
enquanto alguém quebrava a janela – você
arrombava a porta – você
levava tudo
e depois me levava junto
– foi você.

que se atirou em mim com garfo e faca
os olhos brilhantes de pessoa faminta
de quem não comia nada havia semanas
eu era cinquenta quilos de carne vermelha
que você abriu e rasgou com as unhas
como quem raspa as sementes de um melão
eu gritei chamando a minha mãe
e você pregou meus pulsos no chão
fez dos meus seios duas frutas roxas

esta casa ficou vazia agora
sem gás
sem luz
sem água corrente
a comida ficou podre
dos pés à cabeça estou coberta de poeira
moscas. teias de aranha. larvas.
chamem o encanador
meu estômago virou do avesso – não parei mais de vomitar
chamem o eletricista
meus olhos perderam o brilho
chamem alguém que me lave e me ponha para secar

depois que você invadiu minha casa
ela nunca mais pareceu minha
não consigo receber um novo amor sem ficar enjoada
eu perco o sono depois do primeiro encontro
perco o apetite
fico só pele e osso
até de respirar eu esqueço
toda noite meu quarto vira um hospital psiquiátrico
e os ataques de pânico fazem homens
virarem médicos para tentar me acalmar
todo homem que me toca – parece você
os dedos – você
lábios – você
e de repente não são mais
eles por cima de mim – é você

e eu cansei
de fazer tudo do seu jeito

– não deu certo
passei anos tentando entender
como eu poderia ter evitado
mas o sol não evita a tempestade
a árvore não evita o machado
não posso mais me culpar por ter um buraco
do tamanho da sua virilidade no peito
carregar a sua culpa é um fardo – vou deixá-lo
cansei de decorar a sala com a sua desonra
como se fosse minha
é pesado demais andar pela rua
com o que as suas mãos fizeram
e não foram as minhas

a verdade me vem de repente – depois de anos de tempestade
a verdade vem como a luz do sol
que se derrama pela janela aberta
que demora mas chega
e agora o círculo se fecha
só uma pessoa despedaçada poderia buscar
significado entre as minhas pernas
só uma pessoa completa. inteira. perfeita
pode sobreviver a isso
só um monstro é capaz de roubar uma alma
só quem luta recupera
vim ao mundo com esta casa
foi a primeira casa
vai ser a última casa
você não pode levá-la
não tem espaço para você
nem tapete na entrada

nem quarto de visita
abro todas as janelas
deixo o ar entrar
coloco um vaso de flores
no meio da mesa da cozinha
acendo uma vela
encho a lava-louças com todos os meus pensamentos
até que fiquem imaculados
limpo os armários
e depois
quero entrar na banheira
lavar o ontem dos meus cabelos
decorar meu corpo com ouro
escolher uma música
relaxar
botar os pés para cima
e aproveitar
esta tarde de quinta-feira típica

73

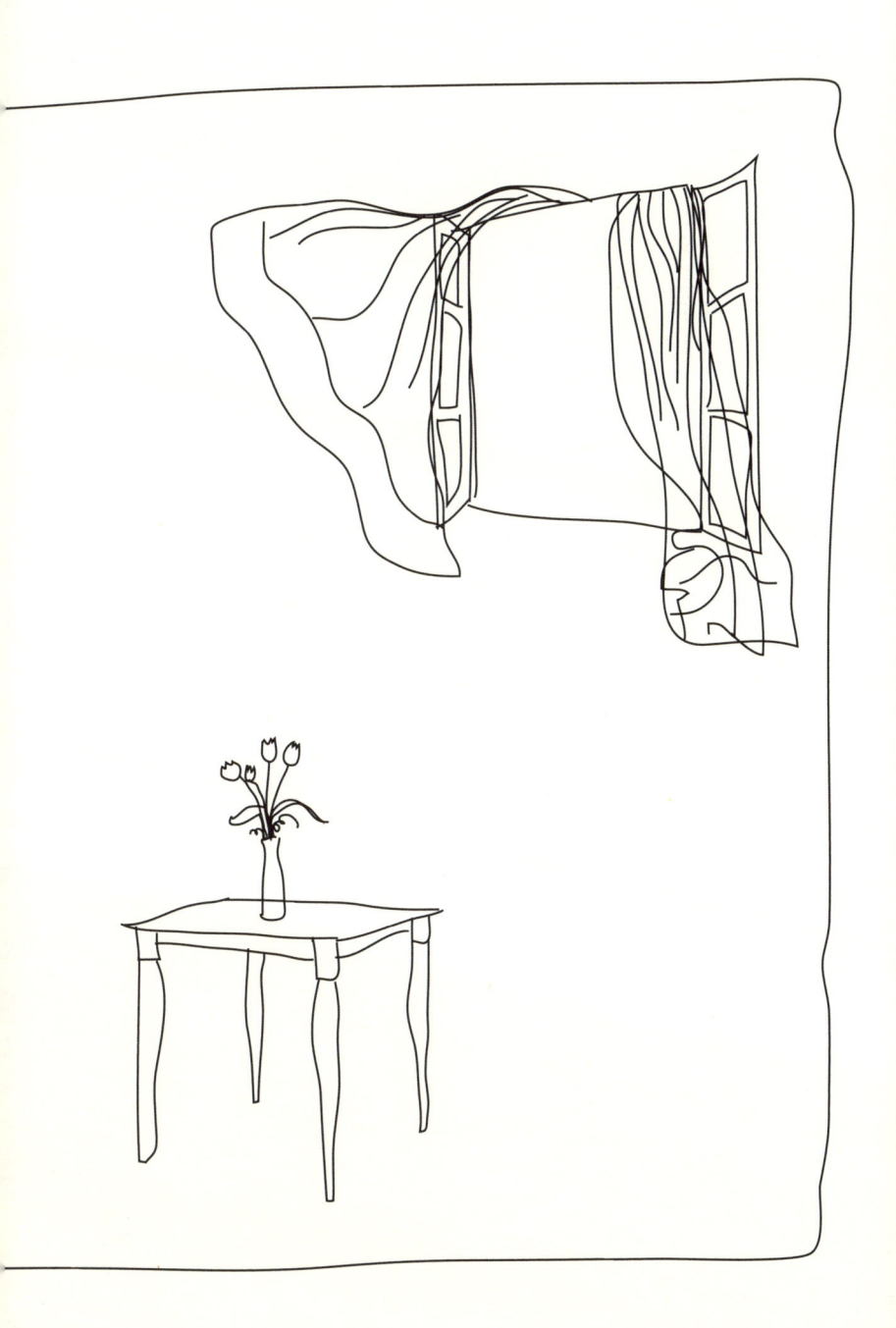

quando cai a neve
eu quero a grama
quando a grama cresce
eu piso em cima
quando as folhas caem
eu espero as flores
quando as flores nascem
eu arranco todas

- *ingrata*

não esquece de contar que eu
era o lugar mais quente do mundo
e você me deixou fria

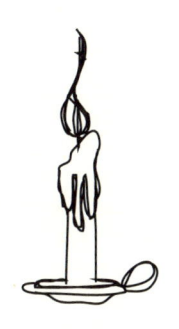

naquela noite em casa
enchi a banheira de água quente
joguei um pouco de hortelã do jardim
duas colheres de óleo de amêndoas
um pouco de leite
e mel
uma pitada de sal
pétalas de rosa do gramado do vizinho
submergi nessa mistura
desesperada para lavar a sujeira
depois de uma hora
tirei folhas de pinheiro do cabelo
contei uma duas três
coloquei uma atrás da outra
depois de duas horas
eu chorei
soltei um uivo
quem diria que a garota podia virar fera
depois de três horas
achei os rastros dele em mim
o suor não era meu
o branco no meio das pernas
não era meu
as marcas de dente
não eram minhas
o cheiro
não era meu
o sangue
meu
depois de quatro horas eu rezei

parecia que você tinha me afugentado
de meu próprio corpo
e até hoje procuro o caminho de volta

reduzi meu corpo à estética
esqueci o trabalho que deu me manter viva
a cada baque e a cada brecha
declarei o fracasso de não ser como as outras
procurei um milagre em toda parte
ingênua por não conseguir notar
que o milagre já tinha acontecido

a ironia da solidão
é que todo mundo sente
ao mesmo tempo

- juntos

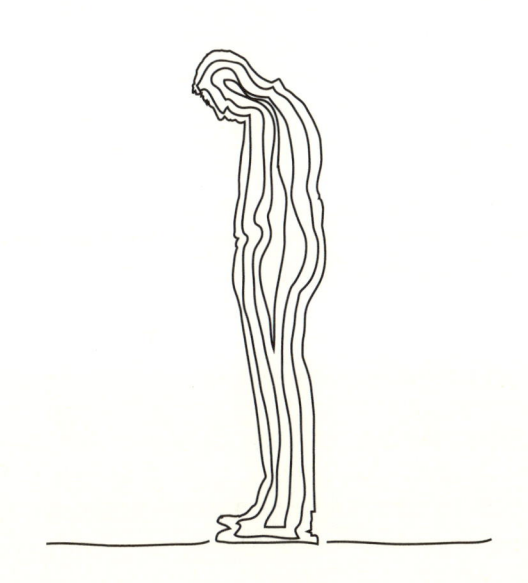

minha meninice era cabelo em exagero
membros finos cobertos de veludo
era tradição na vizinhança
que eu e as outras meninas
fôssemos toda semana a salões de beleza clandestinos
que eram casas comandadas por mulheres
com a mesma idade da minha mãe
a pele da minha mãe
mas não pareciam com minha simples mãe
elas tinham a pele marrom
cabelo amarelo típico de pele branca
mechas como zebras
riscos no lugar das sobrancelhas
eu tinha vergonha das minhas taturanas
e sonhava que um dia fossem assim tão finas

estou sentada tímida na sala de espera improvisada
torcendo para não encontrar alguma amiga da escola
um clipe de bollywood passa na tela
da televisão minúscula
alguém pinta o cabelo ou depila a perna

quando a moça me chama
eu entro na sala
e converso sobre nada
ela sai por um momento
e eu tiro a parte de baixo
abaixo a calça e a calcinha
deito na maca e espero
quando volta ela coloca as minhas pernas
em posição de borboleta aberta
solas dos pés encostadas

joelhos apontando para direções opostas
primeiro o lenço umedecido
depois o gel frio
como está a escola e *o que você estuda* ela pergunta
liga o laser
posiciona a cabeça da máquina no meu osso púbico
e é assim que começa
os folículos capilares em volta
do meu clitóris queimam
com cada zapeada
eu me encolho
tremendo de dor

por que faço isso
por que castigo minha pele
por ser exatamente como deve ser
interrompo meu próprio arrependimento
quando penso nele e na
vergonha que tenho de mostrar meu corpo
a não ser que esteja limpo

mordo com força o lábio
pergunto se já estamos terminando

- *depilação de fundo de quintal*

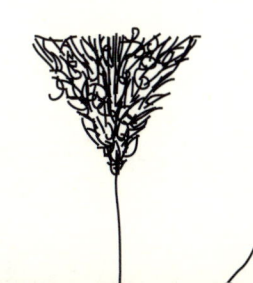

estamos morrendo
desde que chegamos
e esquecemos de olhar a vista

- *viva intensamente*

você era meu
e minha vida era plena
você não é mais meu
e minha vida
é plena

meus olhos
encontram espelhos
em toda superfície que reflete
buscando alguma coisa bonita que olhe de volta
meus ouvidos buscam agrados e elogios
mas mesmo quando procuram em lugares distantes
para mim nunca é o bastante
vou a lojas de departamento e clínicas
quero poções da juventude e novas técnicas
tentei os lasers
tentei as máscaras
tentei os cremes caros e as lâminas
por um minuto me enchem de esperança
me fazem sorrir de orelha a orelha
mas assim que me sinto bonita
a mágica desaparece do nada
onde é que posso encontrá-la
pago qualquer quantia
por uma beleza que fique na memória
toda hora noite e dia

- *a busca sem fim*

aqui eu fico
exausta de um jeito que
não tem nada a ver com sono
e tudo a ver com
as pessoas por perto

- *introversão*

talvez você não veja valor em si mesmo
se acha que valho menos
só por você ter me tocado
como se suas mãos no meu corpo
enaltecessem você
e me reduzissem a nada

- *a autoestima não é transferível*

você não acorda um belo dia e se transforma em borboleta

- *crescer é um processo*

estou passando por uma fase difícil
me comparando com os outros
tento ser igual a todos emagrecendo ao máximo
imitando o meu pai e fazendo piada do meu rosto
dizendo que é horroroso
secando esse queixo duplo prematuro
antes que derreta igual cera e chegue aos meus ombros
arrumando as bolsas dos meus olhos que carregam o estupro
agendando para o meu nariz um procedimento cirúrgico
tem tanta coisa precisando de cuidado
será que você pode me mostrar o caminho
quero me desfazer desse corpo
pra que lado fica o útero

como o arco-íris
depois da chuva
a alegria chega
depois da tristeza

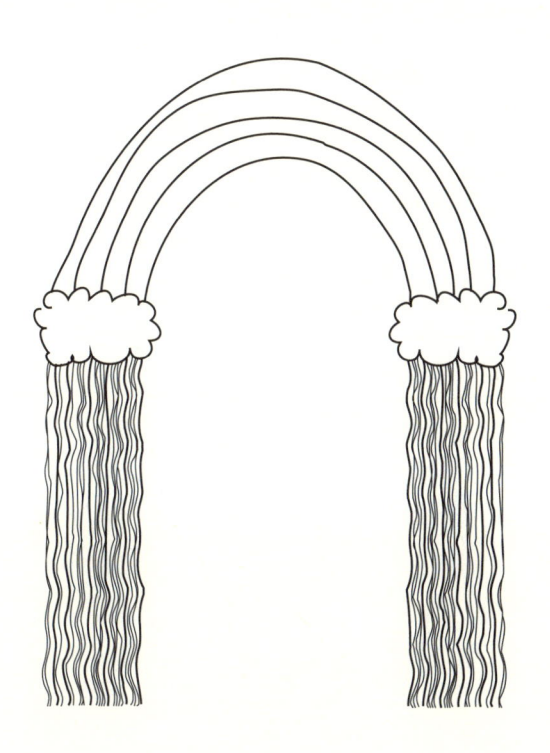

não era palavrão na minha casa
não era motivo de surra
apagaram do nosso dicionário
arrancaram das nossas costas aos tapas
até virarmos crianças comportadas
que diziam *sim* com obediência para qualquer coisa
quando ele subiu em cima de mim
todas as partes do meu corpo queriam rejeitá-lo
mas não consegui dizer *não* e salvar minha vida
quando tentei dar um grito
tudo que saiu de mim foi silêncio
ouvi o *não* batendo com força
no céu da minha boca
implorando para escapar
mas não pendurei a placa de saída
nunca construí a escada de emergência
para o *não* escapar não existia porta
quero fazer uma pergunta
a todos os pais e tutores
de que serviu a obediência naquela hora
quando dentro de mim havia mãos
que não eram as minhas

- *como vou verbalizar o consentimento na vida adulta*
se não me ensinaram na infância

mesmo sabendo
que não há tempo de sobra
eles escolhem viver
a versão mais bonita da vida

- *girassóis*

quando você a encontrar
diga que não passa um dia
sem que eu pense nela
a menina que pensa que você
é tudo que ela precisava
quando você a joga pelas paredes
e ela chora
diga que eu choro junto
o som do concreto rachando por dentro
a cada golpe da cabeça dela
também mora nos meus ouvidos
diga para ela correr para os meus braços
eu já arranquei
a porta do batente
abri todas as janelas
aqui dentro tem banho quente
ela não precisa do seu jeito de amar
sou a prova viva de que ela vai sair
e vai achar o caminho de volta para si mesma
se eu sobrevivi a você
ela também vai sobreviver

tem partes do meu corpo que ainda doem
desde a primeira vez que foram tocadas

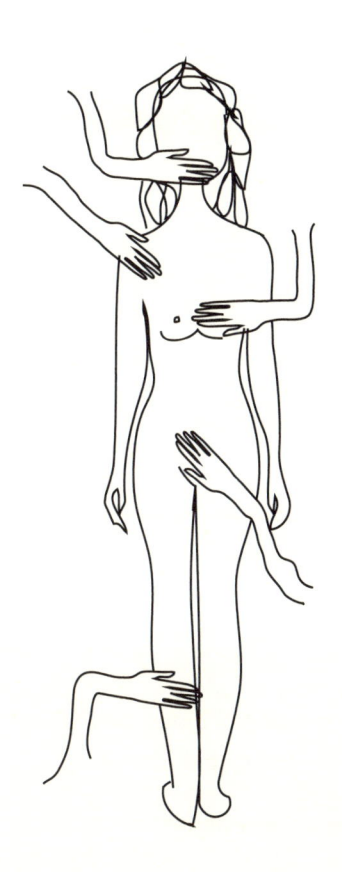

a arte de crescer

até os doze anos de idade me senti bonita
foi quando meu corpo amadureceu como fruta
e de repente
os homens olhavam meu quadril recém-nascido com água na boca
os meninos no recreio não queriam mais brincar de pega-pega
queriam passar a mão em todas
as minhas partes novas e desconhecidas
as partes que eu não sabia usar
não sabia carregar
e queria esconder nas costelas

peitos
eles falavam
e eu odiava essa palavra
odiava ficar sem graça ao dizê-la
porque mesmo que se referisse ao meu corpo
não me pertencia
pertencia a eles
e eles repetiam como se
meditassem a respeito
peitos
ele disse
deixa eu ver os seus
aqui não tem nada para ver além de vergonha e culpa
quero apodrecer e me juntar à terra onde piso
mas continuo de pé a um só passo
de seus dedos em garra
e quando ele avança para apalpar as esferas

mordo seu braço e decido que *odeio meu corpo*
devo ter feito alguma coisa horrível para merecê-lo

em casa eu conto para minha mãe
os homens lá fora estão mortos de fome
ela me diz
que não devo sair por aí com os seios aparecendo
que *os meninos quando veem a fruta ficam com vontade*
diz que preciso sentar com a perna fechada
como toda mulher precisa
ou os homens ficam loucos e perdem o controle
diz que posso evitar essa dor de cabeça
é só aprender a me portar como uma moça
mas o único porém
é que não faz sentido nenhum
não consigo conceber a ideia
de que é preciso convencer metade da população mundial
de que meu corpo não é uma cama
me ocupo aprendendo que ser mulher tem consequências
enquanto devia aprender matemática e ciência
gosto de acrobacias e ginástica então nem imagino
como vou andar por aí com as coxas grudadas
como quem esconde um segredo
como se a aceitação do meu próprio corpo
atraísse a luxúria de seus pensamentos
não vou me sujeitar a essa ideologia
porque o *slut-shaming* é cultura do estupro
o culto à virgindade é cultura do estupro
não sou um manequim na vitrine
da loja de que você é cliente
você não pode me vestir e

me jogar fora quando estiver gasta
você não é um canibal
suas ações não são assunto meu
você precisa se controlar

da próxima vez que for à escola
e um menino disser fiu fiu pelas minhas costas
eu o derrubo no chão
dou uma chave de perna
e digo em tom de provocação
peitos
e a expressão nos olhos dele não tem preço

quando o mundo desaba a seus pés
não tem problema deixar que as pessoas
ajudem a recolher os pedaços
se estamos presentes para partilhar a plenitude
quando o momento é próspero
somos mais do que capazes
de compartilhar seu sofrimento

- *comunidade*

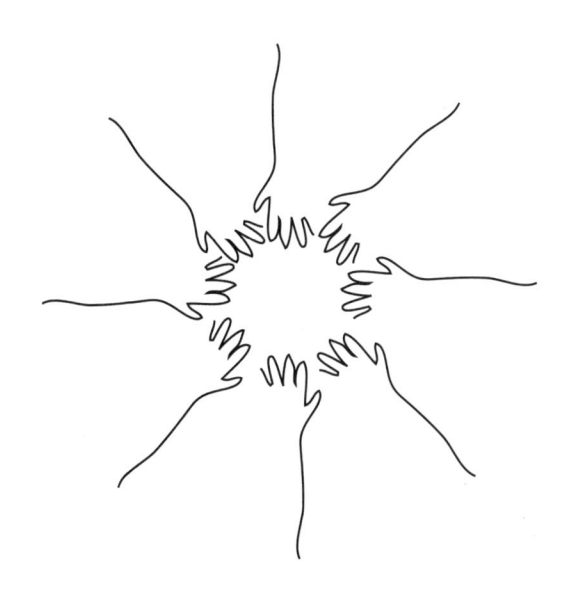

eu não choro
porque estou chateada
eu choro porque tenho tudo na vida
e continuo chateada

deixa pra lá
deixa que vá
deixa rolar
nada
neste mundo
foi prometido ou
era seu de qualquer jeito

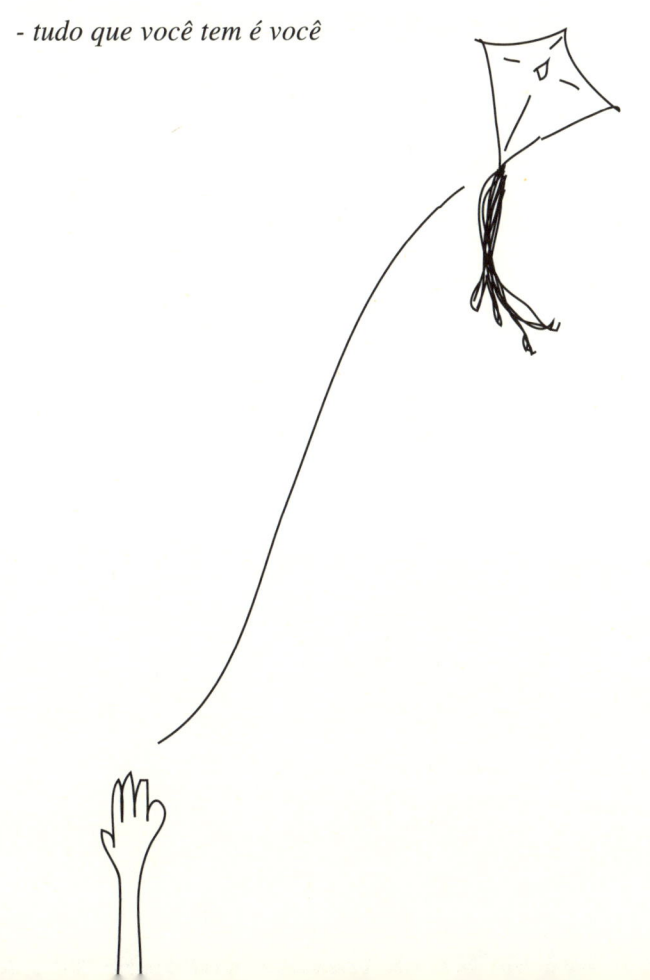

- tudo que você tem é você

deseje só amor e paz
àqueles
que foram cruéis
e siga em frente

- *assim todos se libertam*

sim
é possível
odiar e amar alguém
ao mesmo tempo
é o que faço comigo mesma
todo dia

em algum lugar no meio do caminho
perdi o amor-próprio
e me tornei minha pior inimiga
pensei que tinha visto o diabo
nos tios que nos tocaram na infância
nas máfias que destruíram a cidade
mas nunca vi alguém tão ávido
pela minha carne como eu mesma
eu arrancava a pele só para me sentir acordada
a vestia do lado avesso
jogava sal como punição
a confusão entupia meus nervos
meu sangue borbulhava
tentei até me enterrar viva
mas a terra recusava
você já apodreceu ela dizia
não posso fazer mais nada

- ódio-próprio

a forma como você fala de si mesma
a forma como você se humilha
até ficar minúscula
é abuso

- *autodestruição*

quando cheguei ao fundo do poço
que fica depois do fundo do poço
e ninguém me deu a mão ou uma corda
eu me perguntei
e se ninguém mais me quiser
porque eu não me quero mais

- sou tanto o veneno quanto o antídoto

primeiro
peguei minhas palavras
cada *não posso. não vou. não sou boa o bastante.*
fiz uma fila e dei um tiro em todas
depois peguei meus pensamentos
invisíveis e dispersos
não dava tempo de reunir um por um
joguei água em tudo
transformei meu cabelo em tecido
deixei de molho com limão e menta
coloquei na boca e fui escalando
a trança até chegar na parte de trás da cabeça
fiquei de joelhos e comecei a limpar minha mente
demorou vinte e um dias
ralei os joelhos mas
não me importei
não ganhei de presente o ar
do meu pulmão para depois sufocá-lo
esfreguei a falta de confiança até o osso
até o amor ficar exposto

- *amor-próprio*

sobrevivi a muita coisa para ir embora em silêncio
deixem que um meteoro me leve
chamem um raio como reforço
minha morte vai ser um evento
a terra vai rachar ao meio
o sol vai ruir por dentro

- o dia em que eu partir

quero uma lua de mel comigo mesma

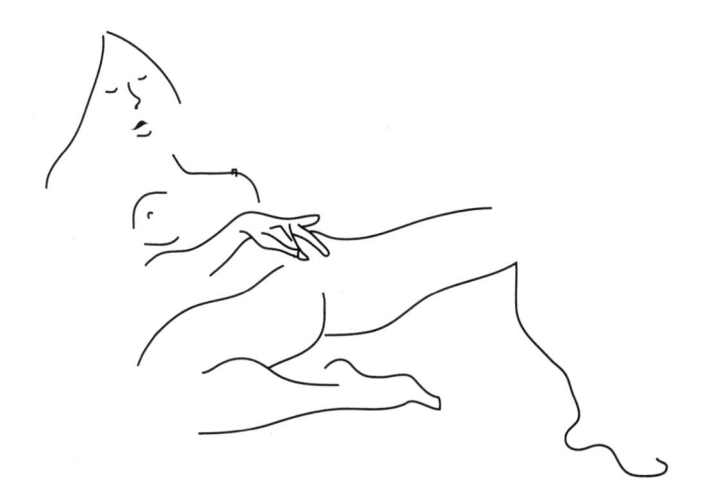

se sou o relacionamento mais longo
da minha vida
será que não é hora de
encontrar intimidade
e amor
com a pessoa
com quem durmo toda noite

- *aceitação*

o que pode ser mais forte
que o coração da gente
que se quebra em tantas partes
e ainda bate

acordei pensando que o trabalho estava feito
que eu não ia mais precisar de treino
fui ingênua por pensar que a cura era tão fácil
mas não há reta final
nem linha de chegada
a cura é trabalho diário

você tem tanto
mas sempre tenta ter mais
não olhe para cima e veja tudo que não tem
olhe em volta e veja tudo que já tem

- onde mora a satisfação

você pode imitar minha luz
mas não pode tirá-la de mim

e você continua vivendo
apesar de tudo

essa é a receita da vida
minha mãe disse
me abraçando enquanto eu chorava
pense nas flores que você planta
a cada ano no jardim
elas nos ensinam
que as pessoas
também murcham
caem
criam raiz
crescem
para florescer no final

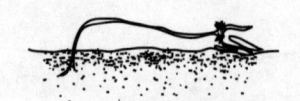

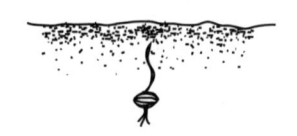

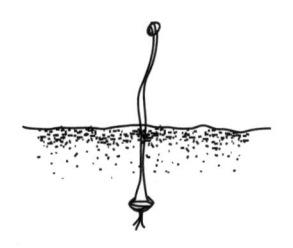

enraizar

eles nem imaginam o que é
perder seu lar e talvez
nunca mais encontrar outro
ter sua vida inteira
dividida entre duas terras
e se tornar a ponte entre dois continentes

- imigrante

olha o que fizeram
a terra gritou para a lua
me transformaram numa ferida

- *verde e azul*

você é uma fratura exposta
e a gente fica em pé
numa poça do seu sangue

- campo de refugiados

quando se tratava de ouvir
minha mãe me ensinou o silêncio
se você atropela a voz dos outros com a sua
ela dizia *não vai conseguir ouvi-los*

quando se tratava de falar
ela dizia *aja com seriedade*
cada palavra que você diz
é de sua responsabilidade

quando se tratava de existir
ela dizia *seja ao mesmo tempo dura e doce*
você deve ser vulnerável para viver plenamente
e forte o bastante para ser uma sobrevivente

quando se tratava de escolher
ela me pediu que fosse grata
por cada escolha que eu fiz e
ela nunca teve o privilégio de fazer

- lições da mamãe

deixar seu país
não foi fácil para a minha mãe
ainda a vejo procurando sua terra
nos filmes estrangeiros
e na prateleira de importados

me pergunto onde ela o escondeu. seu irmão que tinha
morrido havia só um ano. ficou sentada numa roupa de seda
vermelha e ouro no próprio casamento. ela me disse que
foi o dia mais triste de sua vida. que não tinha passado
da fase do luto. um ano era muito pouco. era impossível
sofrer tão rápido. num piscar de olhos. num fôlego. antes
que a noção da perda se assentasse a decoração já estava
nas paredes. os convidados já iam chegando. a conversa
de elevador. a pressa. tudo muito igual ao funeral. pareceu
que o corpo dele mal tinha sido levado para a cremação
quando meu pai e sua família chegaram para a
comemoração.

- amrik singh (1959-1990)

sinto muito se este mundo
não te ofereceu segurança
que sua jornada para casa
seja suave e pacífica

- *descanse em paz*

as pernas falham como um cavalo cansado que procura abrigo
tenha força nos ossos e vá mais rápido
você não tem o privilégio do repouso
num país que quer te cuspir de volta
você precisa
continuar
sem parar
até chegar à água
entregue tudo o que você já teve
por uma passagem no barco
ao lado de outros cem iguais a você
como sardinhas numa lata
você diz à mulher ao lado
este barco não tem força para levar
esse tanto de tristeza pelo mar
não importa ela diz
afogar é melhor do que ficar
quantas pessoas a água já engoliu
até virar um grande cemitério
corpos enterrados sem país
talvez o mar seja o país
talvez o barco afunde
porque aqui é o único lugar que te acolhe

- *barco*

e se a gente bater na porta
e fecharem na nossa cara eu pergunto

o que é uma porta ela diz
quando escapamos da boca do monstro

fronteiras
são criação do homem
só nos separam fisicamente
não deixem que elas nos
coloquem uns contra os outros

- *não somos inimigos*

depois da cirurgia
ela me diz
que é uma loucura
que eles tenham levado
a primeira casa de seus filhos

- *histerectomia fevereiro de 2016*

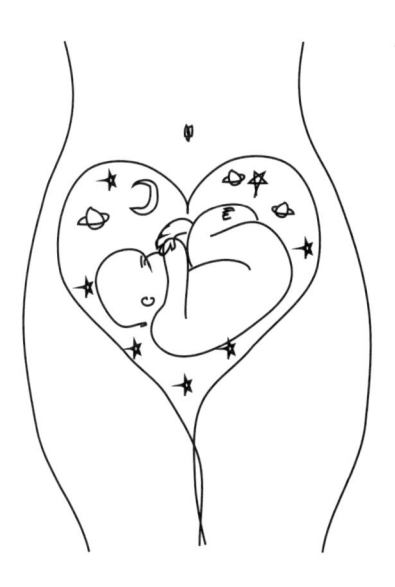

bombas botaram cidades
inteiras de joelhos hoje
os refugiados embarcaram já sabendo
que seus pés talvez nunca mais toquem o solo
a polícia matou pessoas a tiros pela cor de suas peles
no mês passado visitei um orfanato
de bebês deixados no meio-fio como lixo
depois no hospital vi uma mãe
perder o filho e as forças
um apaixonado morria em algum lugar
não posso deixar de acreditar
que minha vida é nada menos que um milagre
se no meio de todo o caos
me concederam a vida

- *circunstâncias*

de repente todos somos imigrantes
trocando uma casa pela outra
primeiro trocamos o ventre pelo ar
depois o subúrbio pela cidade imunda
em busca de uma vida melhor
mas alguns de nós abandonam sua terra por completo

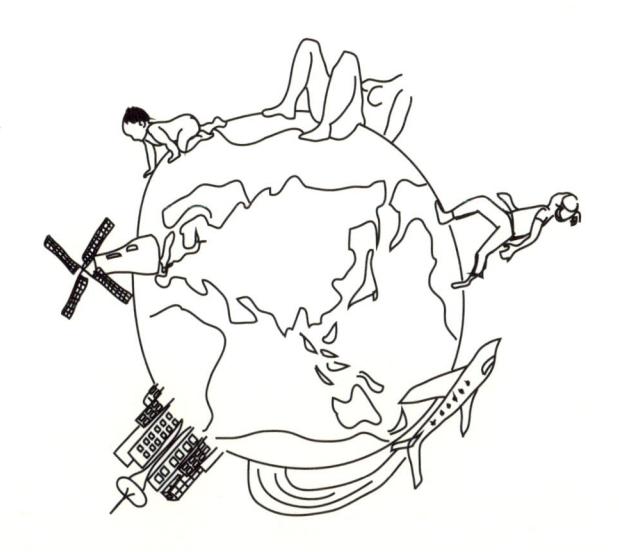

meu deus
não espera dentro da igreja
ou na escadaria do templo
meu deus
é o fôlego da refugiada que corre
é a barriga da criança com fome
é o batimento no peito do protesto
meu deus
não descansa entre as páginas
escritas por homens sábios
meu deus
mora entre as coxas suadas
das mulheres vendidas por dinheiro
foi visto pela última vez lavando os pés de um mendigo
meu deus
não é tão distante
quanto eles às vezes dizem
meu deus pulsa dentro da gente infinitamente

**conselhos que eu daria
à minha mãe no dia do seu casamento**

1. você tem permissão para dizer *não*

2. há muitos anos o pai dele arrancou aos socos
   a linguagem do afeto das costas do seu marido
   ele nunca saberá como dizer
   mas mostrará o amor em seus atos

3. tente aproveitar
   quando ele entrar no seu corpo e chegar àquele lugar
   sexo não é sujeira

4. não importa quantas vezes a família dele mencionar
   não faça o aborto só porque sou menina
   tranque os parentes para fora e esconda a chave
   ele não vai guardar raiva

5. leve seus diários e pinturas
   para o outro lado do mar quando partir
   é assim que você vai lembrar de quem é
   quando estiver perdida nas novas cidades
   e é assim que seus filhos vão saber que
   você já viveu uma vida inteira antes deles

6. quando cada marido estiver fora
   trabalhando nas fábricas
   faça amizade com todas as outras
   mulheres solitárias do prédio
   a solidão pode partir alguém ao meio
   vocês vão precisar umas das outras

7. seu marido e filhos vão tirar da sua boca
vamos te consumir emocional e mentalmente
e isso é um desastre
não nos deixe convencê-la de que
seu autossacrifício é
sua forma de dar amor

8. quando sua mãe morrer
pegue um avião para o enterro
o dinheiro vai e volta
mãe só há uma

9. você pode gastar
alguns dólares num café
sei que houve uma época
em que não podíamos pagar
mas agora estamos bem. respire.

10. você não fala inglês fluente
nem sabe mexer no computador ou celular
fizemos isso com você. a culpa não é sua.
você não é inferior às outras
mães que andam por aí com
celulares chiques e roupas de marca
você foi confinada às quatro paredes dessa casa
nós te fizemos trabalhar sem parar
você não pertenceu a si mesma por décadas

11. não existia manual de instruções
ensinando a ser a primeira mulher de sua linhagem
a criar uma família sozinha numa terra estranha

12. você é a pessoa que eu mais admiro

13. quando estou prestes a fraquejar
    eu penso na sua força
    e me esforço

14. acho que você faz mágica

15. quero encher o resto da sua vida de calma

16. você é o herói dos heróis
    o deus dos deuses

num sonho
vi minha mãe
com o amor de sua vida
e sem filhos
nunca a vi tão feliz

- e se

vocês partiram o mundo
em vários pedaços e
chamaram de países
declararam posse sobre
o que nunca lhes pertenceu
e deixaram os outros sem nada

- *colonizado*

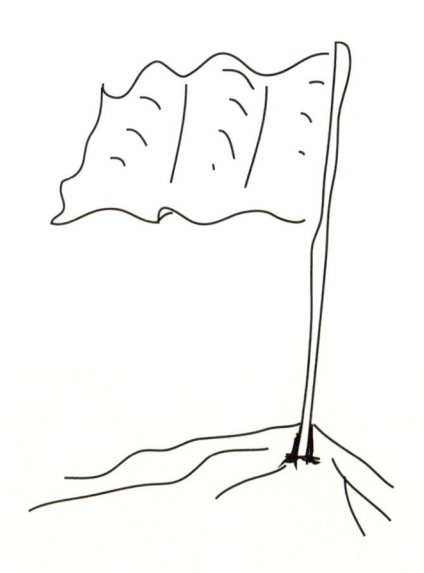

meus pais nunca se sentaram conosco à tarde para contar
histórias da juventude. um estava sempre no trabalho.
o outro muito cansado. parece que ser imigrante deixa
você desse jeito.

o solo congelado do norte os engoliu. os corpos
dedicados ao trabalho pagavam com suor e sangue a
cidadania. talvez o peso do novo mundo fosse muito
grande. e era melhor que a tristeza do velho mundo
ficasse bem enterrada.

no entanto eu queria desenterrá-la. queria ter aberto
o silêncio deles como um envelope. queria ter achado
um espaço num dos cantos. colocado um dedo dentro
e rasgado com cuidado. antes de mim eles tinham vivido
uma vida de que não sei nada. meu maior arrependimento
seria vê-los partir deste mundo antes de ter a oportunidade
de conhecê-los.

minha voz
é o fruto
de dois países num encontro
por que eu teria vergonha
se o inglês
e minha língua-mãe
fizeram amor
minha voz
tem as palavras do pai
e o sotaque da mãe
o que tem de errado
se minha boca leva dois mundos

- *sotaque*

por anos eles ficaram separados pelos oceanos
não tinham nada além de pequenas fotos um do outro
menores que as fotos do passaporte
a dela ficou num broche de ouro
a dele guardada na carteira
no fim do dia
quando os dois mundos ficavam mudos
observar as fotos era o único contato íntimo

isso era muito antes dos computadores
e as famílias naquela parte do mundo
não tinham visto um telefone ou colocado
os olhos amendoados numa televisão colorida
era muito antes de você e eu

quando as rodas do avião tocaram o asfalto
ela se perguntou se o lugar era esse
será que tinha embarcado no voo certo
devia ter perguntado à comissária duas vezes
como o marido tinha sugerido

no caminho até a esteira da bagagem
seu coração batia tão carregado
que ela pensou que ia sair pela boca
os olhos corriam por todo canto
à procura do próximo passo
de repente
ali mesmo
em carne e osso
estava ele
não era miragem – era um homem
primeiro veio o alívio

depois o espanto
por anos sonharam com esse reencontro
tinham ensaiado os diálogos
mas a boca tinha esquecido
ela sentiu um chute no estômago
ao ver as sombras em volta de seus olhos
e os ombros carregando um peso invisível
parecia que tinham drenado sua vida por dentro

aonde a pessoa com quem casou tinha ido
ela se perguntava
procurando o broche dourado
aquele com a foto do homem
que não tinha a mesma cara do marido

- o novo mundo o esvaziou

e se
não houver tempo o suficiente
para oferecer o que ela merece
será que
se eu implorar para os céus
a alma da minha mãe
pode voltar como a de minha filha
para que eu ofereça
o apoio que ela me ofereceu
minha vida inteira

quero voltar no tempo e sentar ao seu lado. documentá-la
num filme caseiro para que meus olhos possam passar o
resto de suas vidas testemunhando um milagre. a pessoa
cuja vida nunca vem antes da minha. quero saber do que
ela ria com as amigas. no vilarejo que ficava entre casas
de tijolo e barro. no meio de acres de plantação de mostarda
e cana-de-açúcar. quero conversar com a versão adolescente
da minha mãe. perguntar sobre seus sonhos. me transformar
na trança embutida. no kajal preto dos seus olhos. na farinha
manipulada com cuidado pelos dedos. uma das páginas dos
livros da escola. ser um só fio do algodão do seu vestido
já seria o presente mais bonito.

- *testemunhar um milagre*

1790
ele tira a recém-nascida dos braços da esposa
leva a menina para o cômodo ao lado
apoia sua cabeça com a mão esquerda
e gentilmente quebra seu pescoço com a direita

1890
toalha úmida para embrulhá-la
grãos de arroz e
areia no nariz
a mãe dá a dica para a nora
eu tive que fazer ela diz
assim como minha mãe
e a mãe dela

1990
uma notícia do jornal diz
cem meninas recém-nascidas encontradas enterradas
nos fundos da casa de um médico numa vila vizinha
a esposa se pergunta se foi para lá que ele a levou
imagina a filha se transformando no solo
fertilizando as raízes que matam a fome da nação

1998
a um oceano de distância num porão de toronto
um médico realiza ilegalmente um aborto
em uma mulher indiana que já tem uma filha
ela diz *uma só já é um fardo*

2006
é mais fácil do que parece minhas tias dizem à minha mãe
elas conhecem uma família
que já passou por isso três vezes
conhecem uma clínica. podem dar o número à mamãe.
o médico até prescreve pílulas que garantem um menino.
fizeram serviço para uma mulher aqui da rua elas dizem
hoje ela tem três filhos homens

2012
doze hospitais na região de toronto
se recusam a revelar o gênero do bebê às famílias
antes da décima terceira semana de gravidez
os doze hospitais ficam em regiões com alto índice
de imigrantes do sul da ásia

- *infanticídio feminino | feticídio feminino*

lembre-se do corpo
da sua comunidade
respire o ar do povo
que costurou seus pontos
é você quem se tornou você
mas as pessoas do passado
são parte do seu tecido

- *honre as raízes*

quando me enterraram viva
cavei meu caminho
de volta do chão
com o punho e a mão
gritei tão alto
que a terra se agitou de medo
e a poeira levitou no espaço
minha vida foi um ato de resistência
um enterro após o outro

- deixar você não vai ser difícil

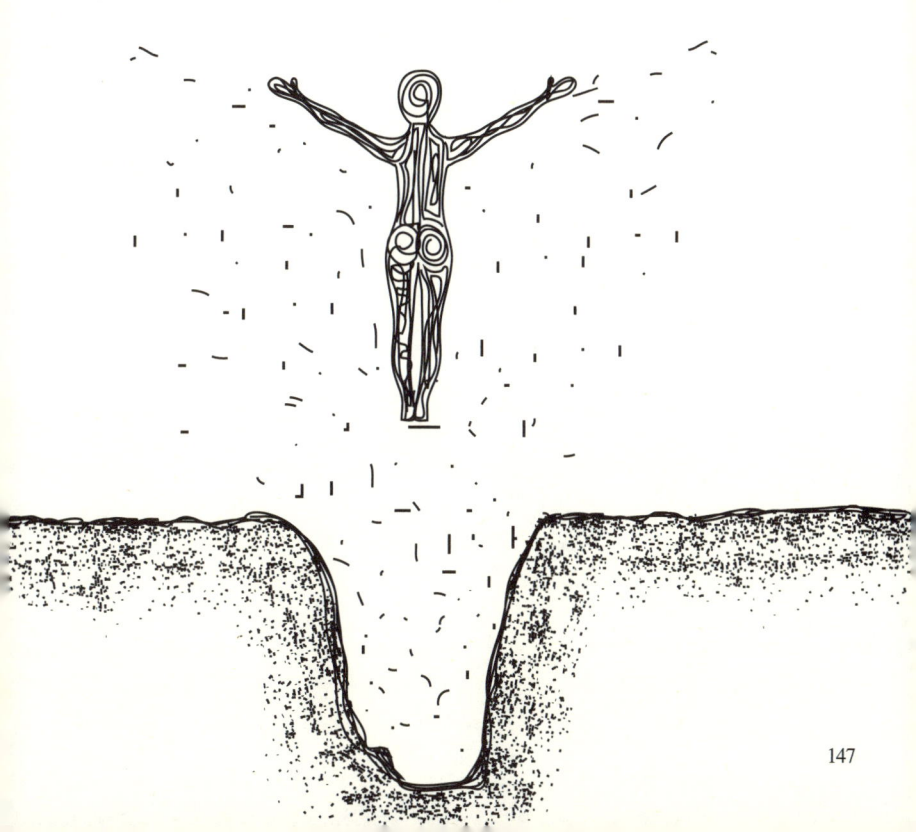

minha mãe sacrificou seus sonhos
para que eu sonhasse

inglês errado

fico pensando no jeito que o meu pai
tirou a família toda da pobreza
sem saber o que era uma vogal
e minha mãe criou quatro filhos
sem nunca conseguir construir
uma frase perfeita em inglês
um casal escalafobético
que aterrissou no novo mundo com sonhos
que deixaram na boca um gosto amargo de rejeição
sem família
sem amigos
só marido e mulher
dois diplomas de universidade que não valiam nada
uma língua-mãe agora quebrada
uma barriga inchada com um bebê dentro
um pai preocupado com aluguel e emprego
porque custe o que custasse o bebê viria ao mundo
e por um segundo eles pensaram consigo mesmos
será que valeu a pena colocar todo nosso dinheiro
no sonho de um país novo
que está nos engolindo vivos

papai olha sua mulher nos olhos
e vê a solidão morando onde antes ficava a íris
quer lhe oferecer uma casa num país com seu rosto
com a palavra *visitante* amarrada na língua
no dia do casamento

ela deixou um povoado inteiro para ser sua companheira
e agora um país inteiro para virar guerreira
e quando chegou o inverno
eles só tinham o calor do próprio corpo
para espantar o frio

como dois parênteses eles se olharam de frente
para manter bem perto suas melhores partes – os filhos
transformaram uma mala cheia de roupa em vida
e um salário por mês
para garantir que filhos de imigrantes
não tivessem ódio de ser filhos de imigrantes
eles trabalharam demais
dá para ver nas mãos
os olhos pedindo descanso
mas nossas bocas pedindo comida
e essa é a coisa mais artística que já vi na vida
é poesia para os meus ouvidos
que nunca ouviram o som da paixão
e minha boca fica cheia de *tipo* e *hum*
quando olho para a obra-prima dos dois
porque não há palavras na língua inglesa
capazes de articular essa espécie de beleza
não posso conter a existência deles em vinte e seis letras
e dizer que é uma descrição
uma vez eu tentei
mas os adjetivos necessários para descrevê-los
nem sequer existem
então acabei com páginas e mais páginas
cheias de palavras seguidas de vírgulas

e mais palavras e mais vírgulas
só para descobrir que há certas coisas
no mundo que beiram o infinito
e nunca terminam com um ponto

como é que você ousa debochar da sua mãe
quando ela abre a boca e
fala num inglês errado
não tenha vergonha do fato de
ela ter cruzado países para estar aqui
para você não precisar cruzar uma linha
o sotaque dela é denso como mel
guarde-o para a vida
é a última coisa que ela tem de casa
não pise nessa riqueza
pendure nas paredes do museu
do lado de dali e van gogh
a vida dela é incrível e trágica
dê um beijo na bochecha
ela já sabe muito bem o que é
ver um país inteiro dar risada quando fala
ela é mais do que a nossa pontuação e nossa língua
a gente pode até saber desenhar e escrever histórias
mas ela construiu um mundo sozinha

vai dizer que isso não é arte

crescer

no primeiro dia do amor
você me envolveu na palavra *especial*

acho que você também se lembra
que a cidade inteira já tinha adormecido
enquanto ficamos acordados pela primeira vez
ainda não tínhamos encostado um no outro
mas demos um jeito de entrar e sair
de nós só com as palavras
os membros tontos com um tanto de eletricidade
que dava para criar um sol pela metade
naquela noite não bebemos nada
mas fiquei bêbada
indo para casa eu pensava
será que somos almas gêmeas

fico apreensiva
porque me apaixonar por você
é me desapaixonar por ele e
eu não estava preparada

- adiante

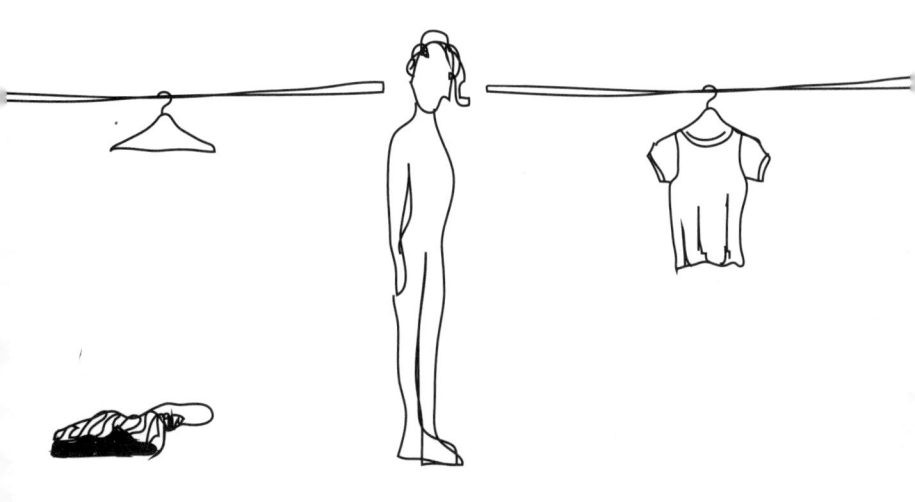

de que jeito eu abraço a gentileza
se até hoje só aprendi
a abrir as pernas para o que aterroriza
o que é que vou fazer com você
se a minha ideia de amor é agressão
e você é um doce
se a sua noção de paixão é olhar nos olhos
e a minha é o ódio
como é que vou ver intimidade
se eu quero a lâmina que corta
e você nem tem lâmina
só formas arredondadas
como é que vou aprender
a aceitar o que é saudável no amor
se tudo que conheço é dor

eu vou dizer sim
para um parceiro
que seja igual a mim

nunca sinta culpa por começar de novo

o meio do caminho é estranho
aquela fase entre ele e o próximo
é o despertar que divide o que você via
e o que você vai ver
é nessa hora que o encanto dele desaparece
que ele deixa de ser
o deus que você permitia que fosse
que o pedestal que você esculpiu
com sua carne e sangue já não serve
sem máscara ele volta a ser um mero mortal

- o meio do caminho

quando você começa a amar uma pessoa nova
dá vontade de rir porque o amor é indeciso
lembra de quando você tinha certeza
que da última vez era *a pessoa certa*
e agora olha você aí
redefinindo *a pessoa certa* de novo

- um novo amor é um presente

eu não preciso do tipo de amor
que enfraquece
eu quero alguém
que me energize

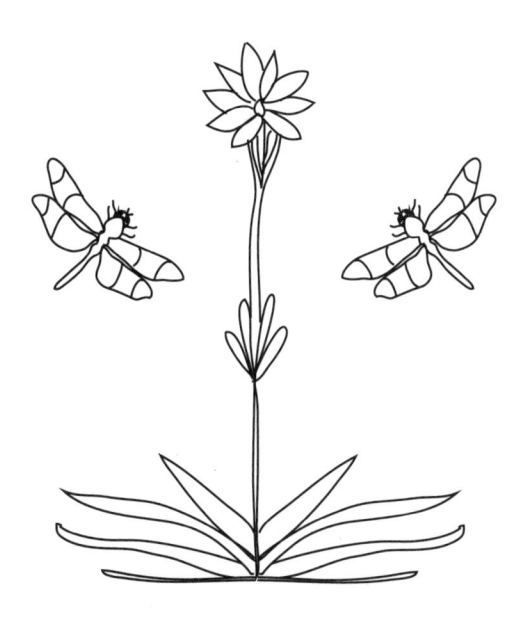

estou tentando não
fazer você pagar pelo erro dos outros
estou tentando entender
que você não tem culpa
pela ferida
não posso te punir
pelo que você não fez
você veste minha emoção
como uma farda do exército
você não é frio
violento nem insaciável
você é terapêutico
você não é como eles

ele faz questão de me olhar nos olhos
quando me toca com aqueles dedos elétricos
ele pergunta *está gostando*
e guia minha atenção
responder está fora de questão
me contorço de antecipação
excitada e assustada com o que vou sentir
ele dá um sorriso
sabe muito bem que o nome disso é desejo
eu sou o quadro de luz
ele é o circuito
meu corpo se mexe com o dele – ritmado
minha voz não é mais minha a cada gemido – musicado
como a mão na corda do violino
ele me enche de eletricidade e ilumina a cidade
quando a gente acaba eu olho nos olhos dele
e falo
foi mágico

quando eu entrei naquele café e vi você. meu
corpo não reagiu como da primeira vez. esperava
que o coração parasse. as pernas fraquejassem. que
eu caísse chorando no chão. não aconteceu nada.
não houve conexão ou movimento dentro de mim
quando nos olhamos. você pareceu um cara normal
de roupa normal e um café normal. nada profundo
a seu respeito. às vezes me subestimo. meu corpo
deve ter se lavado de você há muito tempo. deve
ter cansado de me ver pensando que perdi a melhor
coisa do mundo. jogou fora as inseguranças quando
me ocupei tendo pena de mim. eu nem tinha passado
maquiagem. o cabelo estava péssimo. tinha colocado
camiseta velha e calça de pijama. e mesmo assim eu
me senti uma deusa. uma sereia. fiz uma dancinha no
carro na volta para casa. aquele dia no café nós dois
ficamos debaixo do mesmo teto. mas eu estava a anos-
-luz de distância de você.

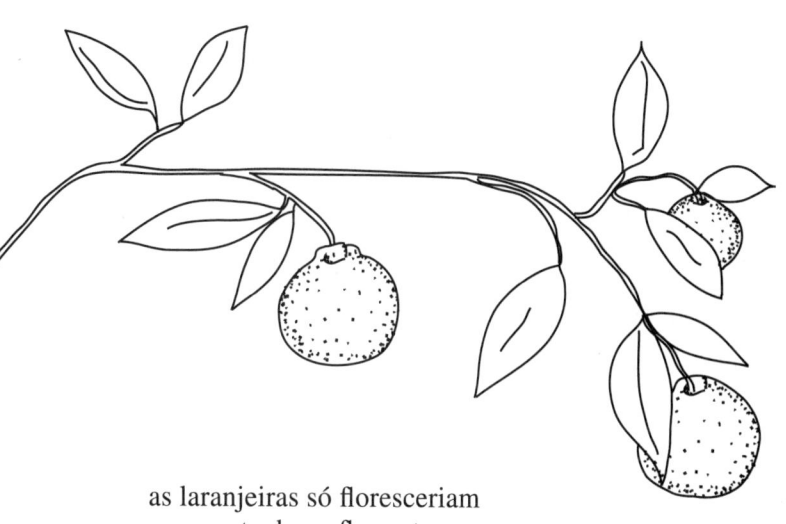

as laranjeiras só floresceriam
se a gente desse flor antes
quando nos apresentaram
elas choraram pitangas
será que você entende
que a terra esperou a vida toda por esse dia

- celebração

por que será que ando em círculos
querendo que você me queira
mas quando você me quer
eu me sinto emocionalmente nua
e decido que não sei lidar
por que faço com que me amar seja tão difícil
como se eu não quisesse que você visse
os fantasmas que carrego comigo
eu já fui mais aberta
para coisas como essa meu amor

- uma pena não termos nos conhecido quando eu estava disposta

não dava mais para segurar
então corri para o mar
no meio da madrugada
e confessei à água meu amor por você
quando terminei de falar
o sal no corpo dela virou açúcar

(ode a *sohni mahiwal*, de sobha singh)

eu digo *talvez isso seja um erro. talvez só amor não baste para dar certo.*

você encosta a boca na minha. quando nossos olhos começam a estremecer com o beijo você fala *diz que não é verdade.* e por mais que eu queira pensar com a cabeça. só meu coração acelerado faz sentido. é isso. essa é a resposta que você tanto buscava. minha falta de ar. minha perda de palavras. meu silêncio. minha incapacidade de falar porque você encheu minha barriga de borboletas e até isso parece um erro. fazer tudo errado com você só pode ser a coisa certa.

um
homem
que chora

- *um presente*

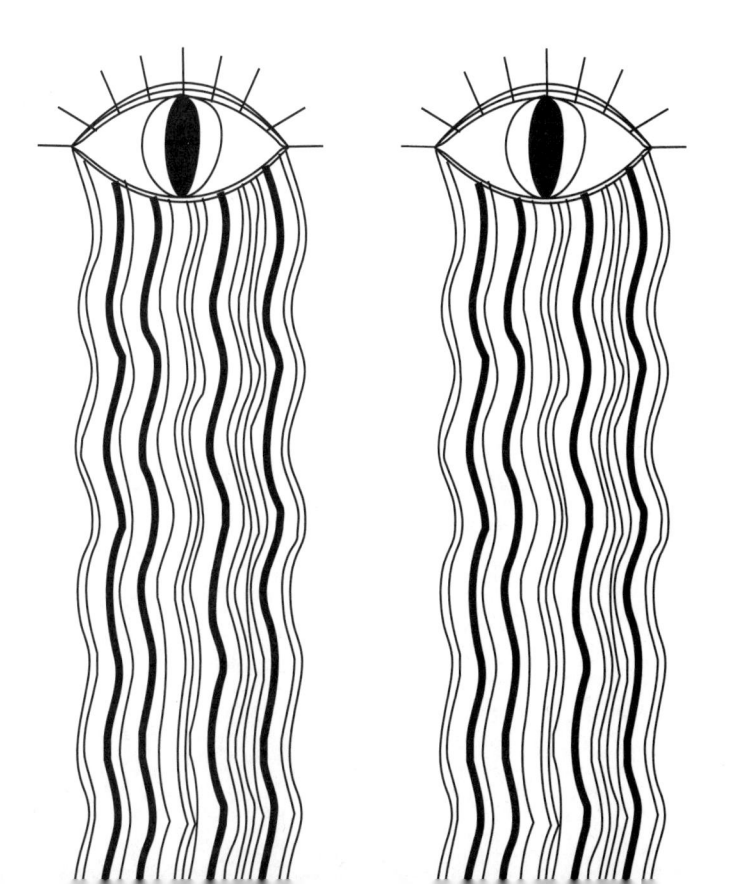

se for para dividir minha vida com alguém
seria bobagem não perguntar a mim mesma
se daqui a vinte anos
será que essa pessoa
vai ser alguém com quem ainda dou risada
ou só me distraio com seu carisma
será que vejo a gente virando
pessoas novas a cada década
ou o crescimento uma hora para no tempo
eu não quero me distrair
com o dinheiro ou a beleza
eu quero saber se essa pessoa
revela o melhor ou o pior de mim
será que no fundo temos as mesmas crenças
em trinta anos será que a gente
vai pular na cama como se tivesse vinte
será que imagino a gente velhinho
conquistando o mundo
como se tivesse a juventude
correndo no sangue

- lista

por que girassóis ele me pergunta

eu aponto para o campo amarelo
os girassóis adoram o sol eu digo
quando o sol sai eles se erguem
quando o sol vai embora
eles abaixam a cabeça de tristeza
é o que o sol faz com as flores
é o que você faz comigo

- *o sol e suas flores*

às vezes
eu me seguro e não falo
as palavras em voz alta
parece que elas perdem a graça
se saírem muitas vezes da boca

- *eu te amo*

nossas conversas mais importantes
serão por meio dos dedos
vão se esfregar de nervoso
no jantar do nosso primeiro encontro
vão se fechar de medo
quando você me chamar para sair semana que vem
mas assim que eu disser sim
vão se esticar de alívio
quando se agarrarem
na hora de ir para a cama
a gente vai fingir
que não ficou de perna bamba
quando eu ficar brava
vão pulsar a cada lágrima
mas quando tremerem com o perdão
você vai ver como se pede desculpa
e quando um de nós estiver morrendo
no hospital aos oitenta e cinco anos
seus dedos vão apertar os meus dedos
para dizer o que as palavras não podem

- dedos

hoje cedo
contei para as flores
o que eu faria por você
e elas se abriram

não existe um ponto
em que você começa e eu acabo
quando seu corpo
entra no meu corpo
somos uma pessoa só

- *sexo*

se eu precisasse ir andando ao seu encontro
demoraria oitocentas e vinte e seis horas
nos dias difíceis fico pensando nisso
o que eu faria se chegasse o apocalipse
e os aviões não voassem mais
tenho tempo demais para pensar
tanto espaço vazio em busca de preenchimento
mas nenhuma intimidade que preencha
a sensação é de ficar presa na estação de trem
esperando esperando esperando
pela pessoa que carregue o seu nome
quando a lua se levanta aqui do meu lado
mas no seu o sol continua brilhando sem medo
eu desabo pensando que até nossos céus são diferentes
estamos juntos há tanto tempo
mas será que estamos juntos mesmo
se o seu toque não ficou aqui o bastante
para ficar marcado na minha pele
me esforço para continuar presente
mas sem você
tudo no máximo
é tão medíocre

- *longa distância*

eu sou
feita de água
é óbvio que sou emotiva

precisa ter jeito de casa
um lugar que acolhe sua vida
é onde você tira seu dia de folga

- *a pessoa certa*

a lua é capaz
de fazer maré
no mar manso
meu querido
eu sou o mar manso
e você é a lua

a pessoa certa não
entra no seu caminho
ela cria espaço para você
dar o próximo passo

quando você fica
pleno
e eu fico
plena
somos dois sóis

sua voz faz comigo
o que o outono faz com as folhas
você liga para dizer oi
e eu já vou tirando a roupa

juntos nós somos uma conversa sem fim

quando a morte
pegar minha mão
vou segurar a sua com a outra
e prometer te encontrar
em todas as vidas

- *compromisso*

foi como se
alguém colocasse cubos de gelo
por dentro da minha camisa

- *orgasmo*

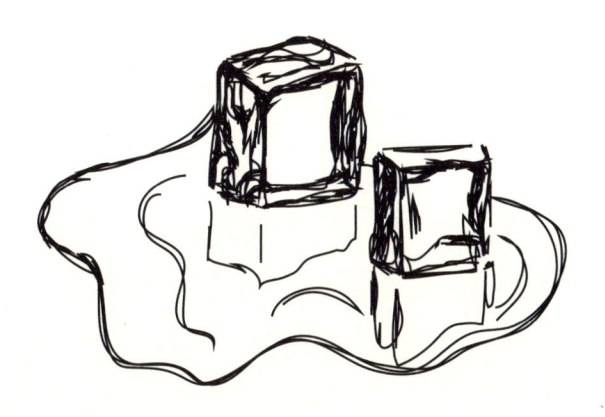

você já
esteve
dentro de mim
antes

- *outra vida*

deus deve ter modelado você e eu
com a mesma forma
fez de nós uma só massa
e deve ter percebido de repente
que não era justo
colocar tanta mágica em uma só pessoa
e infelizmente dividiu a massa em duas
como vou explicar de outro jeito
que quando olho no espelho
é para você que olho
quando você respira
meus pulmões também se enchem de ar
que a gente mal se conhece mas
sente que já se conhecia a vida inteira
se não fomos feitos como uma só pessoa

- nossas almas são espelhos

dividir
duas pernas
em um só corpo

- *um relacionamento*

você deve ter
uma colmeia
no lugar do coração
de que outro jeito
um homem seria
assim tão doce

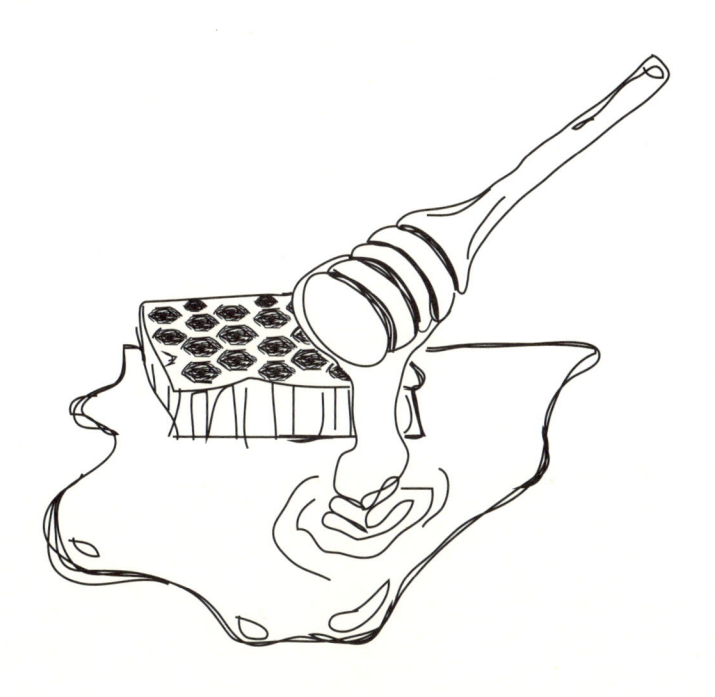

se você ficasse mais bonito
o sol deixaria seu posto
e viria atrás de você

- a busca

este foi um dos anos mais incríveis e mais difíceis da minha vida. aprendi que tudo é passageiro. momentos. sentimentos. pessoas. flores. aprendi que amar é ceder. tudo. e deixar que doa. aprendi que a vulnerabilidade é sempre a escolha certa porque é fácil mostrar frieza num mundo que quase nos impede de mostrar ternura. aprendi que tudo chega em duplas. vida e morte. dor e prazer. sal e açúcar. eu e você. esse é o equilíbrio do universo. este foi o ano de sofrer demais e viver mais ainda. transformar estranhos em amigos. transformar amigos em estranhos. aprender que sorvete de menta com chocolate dá um jeito em quase tudo. e nas dores que não têm jeito sempre terei o colo da minha mãe. precisamos aprender a focar no calor humano. sempre. mergulhar nosso corpo nele e virar versões melhores para o mundo. se não formos gentis uns com os outros como é que vamos ser gentis com o desespero que mora em nós mesmos.

florescer

o universo não economizou em você
te esculpiu e ofertou ao mundo
algo diferente de todas as pessoas
quando você duvida
de como foi criado
você duvida de uma energia maior do que nós dois

- *insubstituível*

quando a primeira mulher abriu as pernas
para o primeiro homem entrar
o que foi que ele viu
quando ela o guiou pela escada
até a sala sagrada
o que o aguardava
o que o abalou tão fundo
que arruinou sua confiança
dali em diante
o primeiro homem
vigiou a primeira mulher
todo dia e toda noite
construiu uma jaula para prendê-la
para que ela não fosse mais pecadora
queimou seus livros
a chamou de bruxa
e gritou puta
até a chegada da noite
quando seus olhos cansados o traíram
a primeira mulher viu tudo
quando sem querer ele caiu no sono
o zumbido
os tambores
a batida entre as pernas
a campainha
a voz
o pulso
pedindo que ela se abrisse
e sua mão saiu apressada

pela escada
na sala sagrada
ela encontrou
deus
a varinha mágica
a língua da serpente
sorrindo dentro de si mesma

- *quando a primeira mulher fez mágica com os dedos*

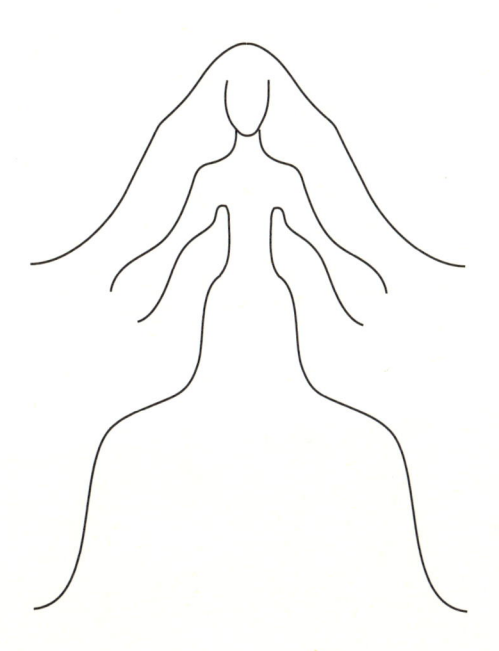

eu não vou
comparar meu caminho ao caminho dos outros

- *me recuso a fazer um desserviço à minha vida*

sou o resultado de uma reunião em que os ancestrais
decidiram que alguém precisava contar essas histórias

muitos tentaram
mas ninguém me capturou
sou o espírito dos espíritos
todos os lugares e nenhum
sou um passe de mágica
dentro da mágica dentro da mágica
ninguém descobriu o segredo
sou um mundo envolto em mundos
dobrado em sóis e luas
você pode até tentar mas
não vai encostar essa mão em mim

na hora do meu parto
minha mãe disse
deus mora em você
consegue sentir sua dança

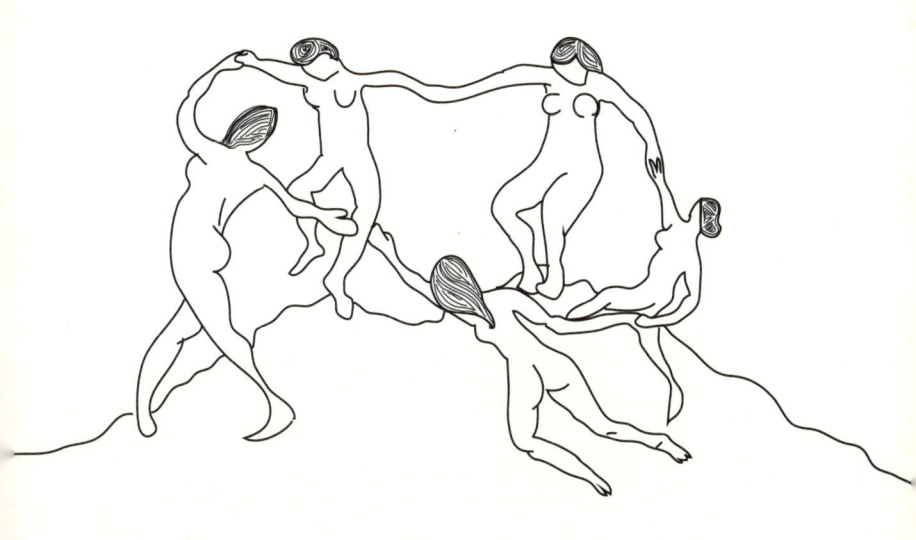

(ode à *dança*, de matisse)

como pai de três filhas
teria sido até corriqueiro
que ele nos impusesse o casamento
essa havia sido a narrativa
das mulheres da minha cultura por séculos
no entanto ele impôs a educação
sabendo que seria nossa libertação
num mundo que nos queria presas
ele garantiu que a nossa lição
fosse a independência

aqui bocas nunca faltam
mas quase nenhuma merece
o que você oferece
doe-se a poucos
e a esses poucos
doe muito

- *invista nas pessoas certas*

sou da terra
e à terra retornarei mais uma vez
vida e morte são velhas amigas
e eu sou a conversa entre as duas
o bate-papo da madrugada
o riso e a lágrima
não há por que temer
porque eu sou o presente que elas trocam
esse lugar nunca foi minha propriedade
sempre fui delas em primeiro lugar

o ódio
é uma coisa fácil e fútil
já o amor
exige um esforço
que todo mundo conhece
mas ao qual nem todo mundo
está disposto

menina morena maravilhosa
seu cabelo grosso é um casaco de pele só para quem pode
menina morena maravilhosa
você odeia a hiperpigmentação
mas é que sua pele faz questão
de levar o máximo possível de sol
quando tem luz você é o ímã
monocelha – a ponte entre dois mundos
vagina – mais escura que o resto do corpo
porque guarda uma mina de ouro
você vai ter olheiras muito cedo
– valorize essa aura
menina morena maravilhosa
você dá à luz deuses e deusas

olhe para o seu corpo
sussurre
não há casa igual a você

- *obrigada*

aprender a não ter inveja
das pessoas abençoadas
é a verdadeira graça

sou a primeira mulher da minha linhagem a ter liberdade de escolha. a construir o futuro como bem entender. dizer o que vier à minha mente quando eu quiser. sem ouvir o barulho do chicote. são centenas de primeiras vezes pelas quais sou grata. cenas que minha mãe e a mãe dela e a mãe dela não tiveram o privilégio de viver. é uma verdadeira honra. ser a primeira mulher da família que pode sentir seus próprios desejos. não é à toa que quero experimentar esta vida ao máximo. antes de mim tenho gerações de barrigas famintas. as avós devem estar gritando de tanto dar risada. reunidas em volta de um fogão de barro lá do outro lado. bebericando masala chai leitoso em um copo fumegante. elas devem achar uma loucura ver uma das suas mulheres vivendo de um jeito tão grandioso.

(ode à *cena do vilarejo 1938*, de amrita sher-gil)

confie no seu corpo
ele reage ao que é certo e errado
melhor do que a sua mente

- *o corpo fala com você*

me levanto
sobre o sacrifício
de um milhão de mulheres que vieram antes
e penso
o que é que eu faço
para tornar essa montanha mais alta
para que as mulheres que vierem depois de mim
possam ver além

- *legado*

quando eu for embora daqui
decore a varanda com guirlandas
como faria num casamento meu bem
tire as pessoas de dentro de casa
e saia dançando pela rua
quando a morte chegar
como uma noiva ao altar
me vista com a roupa mais bonita
sirva sorvete com pétalas de rosa para os convidados
não tem motivo para chorar meu bem
esperei a vida inteira
para que um dia tanta beleza
me tirasse o fôlego
quando eu for
que seja uma comemoração
porque eu vim
eu vivi
eu venci nesse jogo que chamam de vida

- funeral

foi quando desisti de procurar uma casa dentro das pessoas
e ergui a fundação de uma casa dentro de mim mesma
que descobri que as raízes mais profundas
são aquelas entre o corpo e a mente
que decidem viver como um

para que eu sirvo
se não encho o prato
daqueles que me deram alimento
mas encho o prato de um desconhecido

- família

mesmo depois de uma separação
sempre voltam a se unir
quem ama não fica longe
não importa o quanto
eu apare e arranque
minhas sobrancelhas sempre
dão um jeito
de se encontrar

- *monocelha*

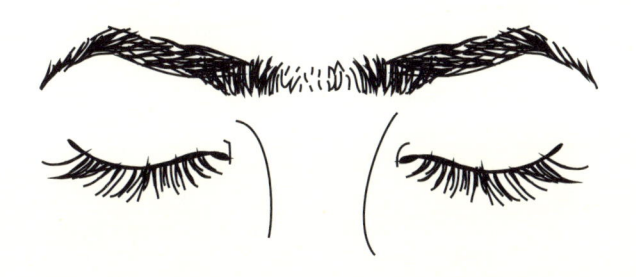

uma menina e um velho sentaram cara a cara numa mesa
uma xícara de leite e outra de chá
o velho perguntou à menina
se ela gostava da vida
a menina disse que sim
a vida era boa porém
ela não via a hora de ser adulta
e fazer coisas de adulto
aí a menina fez ao velho a mesma pergunta
ele também disse que a vida era boa
mas que daria tudo para voltar a uma idade
em que andar e sonhar ainda eram possibilidades
eles então deram um gole em suas bebidas
mas o leite da menina estava coalhado
o chá do velho ficou amargo
os dois tinham lágrimas nos olhos

no dia em que você tiver tudo
espero que ainda tenha
memória de quando não tinha

ela não é um filme pornô
nem é o que você procura
numa sexta à noite
ela não é grudenta nem fácil nem fraca

- *problemática não é piada*

tenho vontade de ser vitória-régia

fiz todas as mudanças
no caminho da perfeição
mas quando enfim me senti linda o bastante
mudaram a definição de beleza
da noite para o dia

e se não existir linha de chegada
e de tanto tentar chegar lá
eu perder tudo que era meu
em nome de uma beleza tão insegura
que não conquista nem a si mesma

- as mentiras que vendem

você quer
esconder o sangue e o leite
como se o seio e o ventre
não tivessem sido seu alimento

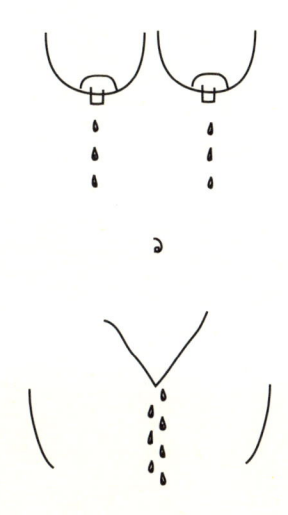

uma indústria de um trilhão de dólares estaria
arruinada se acreditássemos que já somos lindas

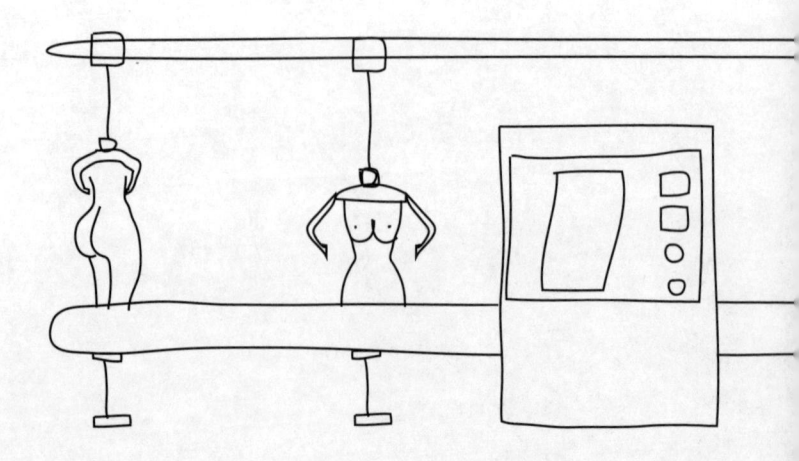

essa ideia de beleza
é fabricada
eu não

- *humana*

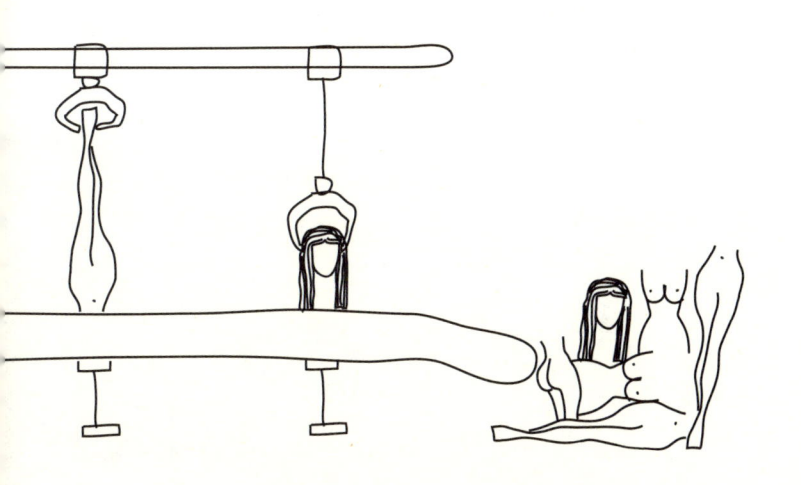

como me livro dessa inveja
quando vejo você se superando
irmã eu quero ter amor-próprio para saber
que suas conquistas não são meus fracassos

- *não somos rivais*

é uma honra
ser da cor da terra
será que você imagina a frequência
com que as flores me chamam de casa

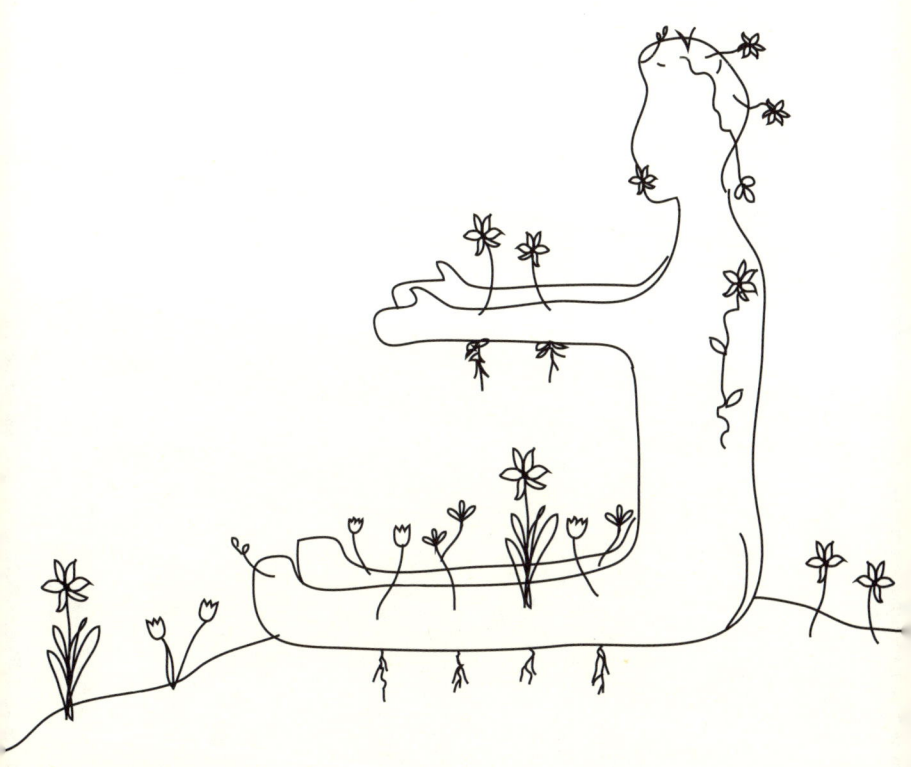

mais amor
não dos homens
mas de nós mesmas
e umas das outras

- *cura*

você é um espelho
se continuar se privando de amor
só vai conhecer gente que priva ainda mais
se você se vestir de amor
o universo só vai trazer
quem também possa te amar

- *matemática básica*

quanta
ou quão pouca
roupa ela traz no corpo
não diz nada sobre quão livre ela é

- *coberta | descoberta*

tem montanhas que crescem
debaixo do nosso pé
isso ninguém controla
tudo que enfrentamos
nos preparou para esse momento
venham com martelos e punhos
temos um teto de vidro a quebrar

- vamos arrancar esse telhado

não é o sangue que te faz minha irmã
é a compreensão do meu coração
embora você o carregue
no seu corpo

qual é o maior aprendizado de uma mulher

é que desde o primeiro dia
ela já tem tudo o que precisa em si mesma
mas o mundo a convenceu de que não tinha

eles me convenceram
de que só me restavam alguns poucos anos
antes de ser substituída por uma menina mais nova
como se os homens ganhassem poder com idade
e as mulheres ficassem insignificantes
eles que fiquem com essas mentiras
porque eu estou só no começo
sinto que acabei de sair do útero
meus vinte anos são um aquecimento
para o que de fato venho preparando
vocês vão ver quando eu chegar aos trinta
aí que vai ser a introdução perfeita
para a mulher indecente. feroz. em mim.
não vou embora antes do começo da festa
o ensaio começa aos quarenta
eu só melhoro com a idade
não tenho data de validade
e agora
é a hora do evento principal
as cortinas sobem aos cinquenta
e aí o show começa

- atemporal

para se curar
você há de
chegar à raiz
da mágoa
e abraçá-la até o talo

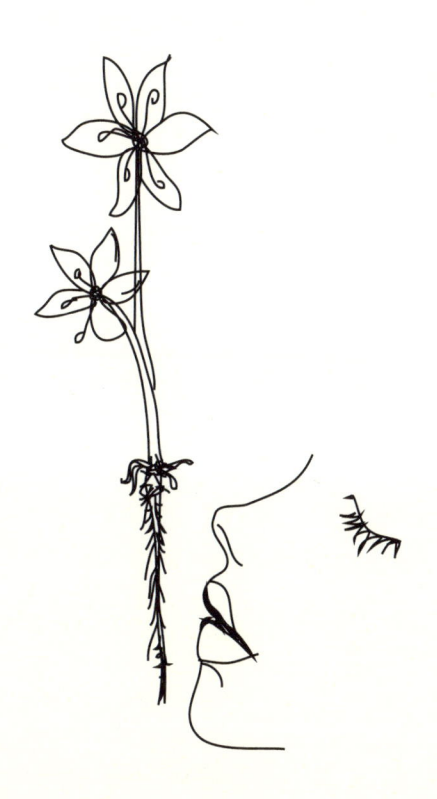

nos jogaram num fosso
para que nos matássemos e eles não
nos deixaram tão esfomeadas por espaço
que acabamos comendo vivas umas às outras
ergue a cabeça ergue a cabeça ergue a cabeça
para vê-los olhando para nós com desdém
não podemos mais competir entre nós
porque o monstro de verdade é muito grande
para derrubarmos sozinhas

enquanto minha filha morar na minha barriga
vou falar com ela como se
ela já tivesse mudado o mundo
ela vai sair de mim num tapete vermelho
totalmente munida do conhecimento
de que é capaz de
tudo que ela quiser

(ode a *um curto passeio e adeus*, de raymond douillet)

agora
não é hora
de fazer silêncio
ou pedir espaço
porque a gente nunca teve espaço para nada
agora
é a nossa hora
de abrir bem a boca
falar mais alto do que nunca
até que ouçam

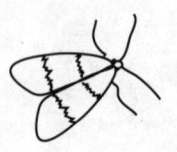

a representatividade
é vital
sem ela a borboleta
rodeada por um grupo de mariposas
incapaz de ver a si mesma
vai continuar tentando ser mariposa

- *representatividade*

aceite o elogio
não se esconda de
mais uma coisa que é só sua

nosso trabalho deve preparar
a próxima geração de mulheres
para nos superar em todas as áreas
esse é o legado que vamos deixar

- *progresso*

o rumo que muda o mundo
é eterno

- muita calma

a vontade de proteger você foi mais forte
eu te amo demais
para ouvir seu choro em silêncio
me espera que eu dreno seu veneno com um beijo
vou resistir à tentação
dos meus pés exaustos
e continuar marchando
com o amanhã numa das mãos
e um punho cerrado na outra
vou te levar à libertação

- carta de amor ao mundo

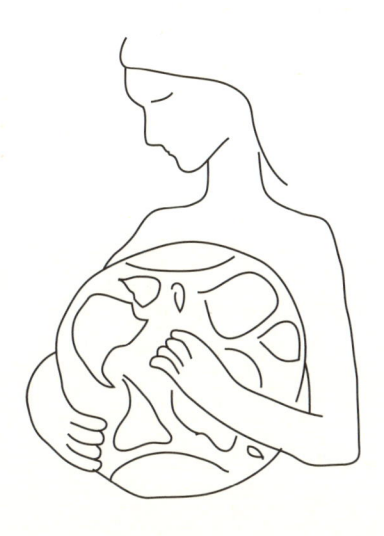

será que você já bateu o olho num bicho igual a mim
tenho uma amoreira no lugar da coluna
um girassol no pescoço
às vezes sou deserto
noutras mato
mas sempre indomável
minha barriga transborda na cintura da calça
os pelos arrepiados formam um cordão salva-vidas
levei um bom tempo para virar
essa rebelião tão bonita
já me recusei a regar minhas raízes
até que um dia entendi
se sou a única
capaz de ser a selva
então me deixa ser a selva
o tronco não pode ser galho
a floresta não pode ser grama
então por que eu deveria

- não falta nada nesse lugar que sou eu

muitos se esforçam
mas não entendem a diferença
entre a calêndula e a minha pele
as duas são um sol alaranjado
que cega quem não aprende a amar a luminosidade

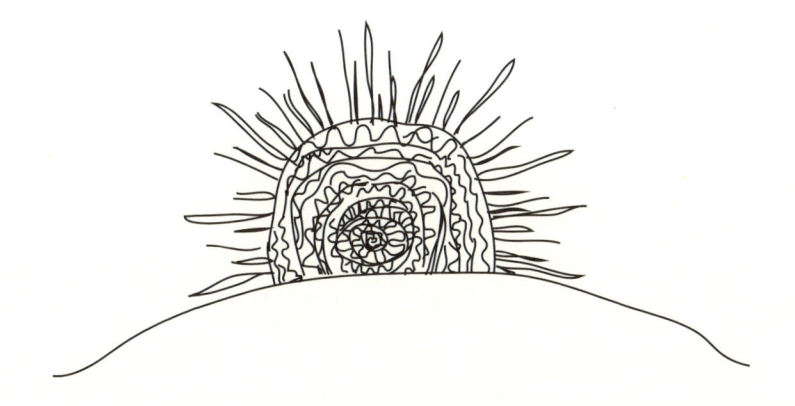

se você nunca
se uniu aos oprimidos
ainda dá tempo

- dê a mão

o ano acaba. espalho os últimos trezentos e sessenta
e cinco dias na minha frente no tapete da sala de casa.

este aqui é o mês em que decidi largar tudo que não
influenciasse profundamente os meus sonhos. o dia em que
me recusei a ser a vítima. esta é a semana em que dormi
na grama. na primavera eu torci o pescoço da insegurança.
deixei a sua gentileza de lado. derrubei o calendário. aqui
a semana em que dancei com tanta empolgação que meu
coração aprendeu a flutuar de novo. o verão em que tirei todos
os espelhos da parede. eu não precisava mais me ver para me
sentir vista. tirei o peso do meu cabelo com o pente.

dobro os dias bons e ponho todos no bolso de trás da calça
só por segurança. acendo um fósforo. queimo tudo que seja
supérfluo. o calor do fogo aquece meus dedos do pé. pego
um copo de água morna para me limpar inteira para janeiro.
estou chegando. mais forte e mais inteligente rumo ao novo.

não há
mais nada
que você possa temer
o sol e suas flores chegaram.

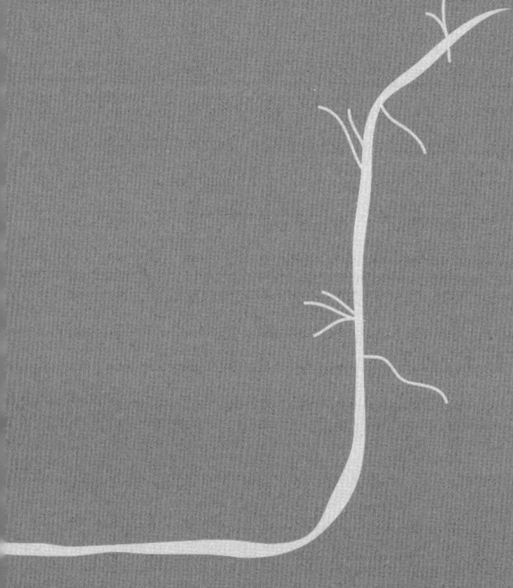

existem aqueles dias em que a simples ação de
respirar leva você à exaustão. parece mais fácil
desistir desta vida. a ideia de desaparecer é capaz
de trazer paz. passei tanto tempo sozinha num
lugar em que não existia sol. em que não crescia
flor. mas de vez em quando no meio da escuridão
alguma coisa que eu amava surgia para me trazer
de volta à vida. como testemunhar o céu estrelado.
a leveza de dar risada com velhos amigos. uma
leitora que me disse que os poemas salvaram sua
vida. e ainda assim eu lutava para salvar a minha.
meus queridos. viver é difícil. é difícil para todas
as pessoas. e é bem nesse momento que a vida
parece um eterno rastejar por um túnel minúsculo.
que precisamos resistir com força às memórias
negativas. nos recusar a aceitar os meses ruins ou
anos ruins. porque nossos olhos querem engolir
o mundo. ainda há tantos lugares com água
turquesa para mergulhar. há a família. de sangue
ou escolhida. a possibilidade de se apaixonar. pelas
pessoas e lugares. colinas altas como a lua. vales
que vão fundo em novos mundos. e viagens de carro.
acho muito importante aceitar que nós não somos
mestres deste lugar. somos apenas hóspedes. e como
visitantes devemos aproveitá-lo como um jardim.
tratá-lo com gentileza. para que quem vier depois também
aproveite. devemos encontrar nosso sol. cultivar
nossas flores. o universo nos presenteou com toda a
luz e as sementes. talvez às vezes a gente não ouça
mas aqui sempre tem música. só precisa aumentar
o volume ao máximo. enquanto houver ar em nossos
pulmões – precisamos continuar dançando.

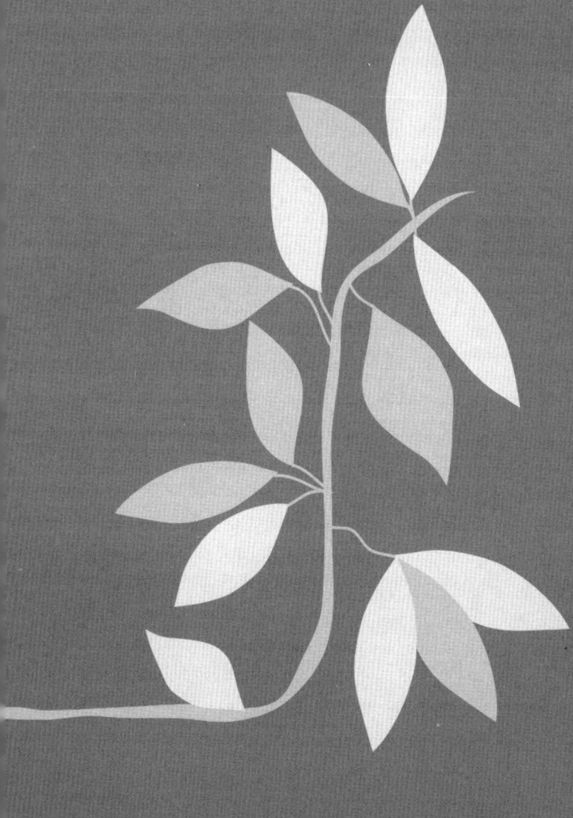

rupi kaur é autora e ilustradora de dois livros de poesia e chegou ao 1º lugar na lista do *the new york times*. começou a desenhar aos cinco anos quando sua mãe lhe deu um pincel nas mãos e disse – transforme o que você sente em desenho. rupi vê sua vida como um estudo dessa jornada artística. depois de terminar sua graduação em estudos retóricos ela publicou sua primeira coletânea de poemas *outros jeitos de usar a boca* em 2014. esse livro celebrado internacionalmente vendeu mais de um milhão de cópias e ficou na lista de mais vendidos do *the new york times* toda semana por mais de um ano. desde então o livro ganhou traduções em mais de trinta idiomas. seu aguardado segundo livro *o que o sol faz com as flores* foi publicado em 2017. nessa nova coletânea de poesia ela continua explorando uma variedade de temas que passam pelo amor. perda. trauma. cura. feminilidade. migração. revolução. rupi viajou o mundo inteiro fazendo performances de sua poesia. seus projetos em fotografia e direção de arte também são celebrados e ela pretende continuar com esses projetos por muitos anos.

- sobre a autora

o que o sol faz com as flores é uma
coletânea de poesia sobre
a dor
o abandono
o respeito às raízes
o amor
e o empoderamento
é dividido em cinco partes
murchar. cair. enraizar. crescer. e florescer.

- *sobre o livro*

Acreditamos nos livros

Este livro foi composto em Times LT Std e impresso pela Geográfica para a Editora Planeta do Brasil em novembro de 2022.